KB036140

무림오적
武林五賊

무림오적 37

**초판 1쇄 발행 2021년 12월 27일**

지은이 | 백야
발행인 | 신현호
편집장 | 이호준
편집부 | 송영규 최종건 정재웅 양동훈 곽원호 조정범 강준석 최성화
편집디자인 | 한방울
영업 | 김민원

펴낸곳 | ㈜디앤씨미디어
등록 | 2002년 4월 25일 제20-260호
주소 | 서울시 구로구 디지털로 26길 111 JnK디지털타워 503호
전화 | 02-333-2513(대표)
팩시밀리 | 02-333-2514
E-mail | papy_dnc@dncmedia.co.kr
블로그 | blog.naver.com/gnpdl7

값 8,000원



ISBN 978-89-267-1889-6 04810
ISBN 978-89-267-3458-2 (SET)

백야 신무협 장편소설
PAPYRUS ORIENTAL FANTASY
37
무림오적
武林五賊
PAPYRUS
파피루스

1장.

# 정문하의 구상

고인 물은 썩는다고,
강호 무림 위에 군림하는 태극천맹의 체제가 수십 년이 지나다 보니
이곳저곳에서 잡음이 터져 나왔고 온갖 비리와 악행들이 쏟아졌다.
그걸 뜯어고치고 바로잡겠다는데야 어느 누가 반대할 수 있을까.

## 1. 부질없는 일이다

부질없는 일이다.

그것은 그곳으로 향하면서 떠오른 첫 번째 생각이었다.

다시 그곳으로 가는 건 벌써 백육십칠 번째의 일이었다. 그리고 그 몇 년 동안 백육십육 번이나 되는 실패를 직접 두 눈으로 확인하고 돌아와야 했다.

오륙 년의 시간이 헛되이 소비되었다. 무려 황금 백만 냥이 넘는 거액이 신기루처럼 사라졌다. 정사(正邪)와 상관없이 백육십육 명의 절정 고수들이 지옥의 악귀처럼 처참한 몰골로 죽어 갔다.

포기하라고 말하고 싶었다. 그건 사람이 할 수 있는 영역을 벗어난 일이라고 말하고 싶었다.

거기에 투자할 돈과 힘, 세력과 시간이 있다면 이 일의 원흉을 추적, 척살하는 게 더 마땅하다고 설득하고 싶었다.

하지만 그의 앞에 설 때마다, 실패할 때마다 입술을 꽉 깨물고 주먹을 불끈 쥐는 그의 모습을 볼 때마다, 그 들리지 않는 흐느낌과 울부짖음을 느낄 때마다 결국 목구멍까지 솟았던 말을 도로 되삼켜야만 했다.

어쩌면 지금의 그가 살아 있는 이유가 바로 그것이라는 생각이 들었기 때문에, 그러니 그걸 그만둔다면 더 이상 그가 살아갈 의미가 사라질 것 같았기 때문에 어쩔 수 없이 아무 말도 하지 못한 채 이렇게 또 한 번 그의 부름에 이끌려 걸음을 옮기고 있는 것이다.

―그곳으로 오시라는 분부가 계셨습니다.

아아, 이번만큼은 그런 전갈을 받지 않았으면 했는데. 저번의 실패가 마지막이 되기를 바랐는데, 마저 남은 희망과 기대와 기원들이 그 처절한 시신과 함께 송두리째 불타 재가 되기를 원했는데.

아버님은 그게 아니셨나 보다.

* * *

습한 지하 공간.

자박, 자박, 자박.

한없이 가벼운 발걸음 소리조차도 공명을 일으키며 사방으로 퍼져 나갔다.

음산하다 못해 괴기스럽기까지 한 지하의 좁은 복도를 따라 얼마나 걸었을까. 두툼한 석문이 앞을 가로막았다.

이 음침하고 비좁으며 축축하게 젖은 공간에도 바람이 들고 나가는지, 석문 양쪽에 걸린 횃불이 슬그머니 춤을 추며 검은 그림자를 만들어 내고 있었다.

석문 앞에서 걸음을 멈춘 그녀는 한 번 크게 숨을 들이마셨다가 천천히 내쉬었다. 그러고는 훨씬 더 차분하게 가라앉은 표정을 지으며 부드럽게 입을 열었다.

"저 왔어요, 아버님."

마치 그녀의 말을 기다렸다는 듯이 석문이 천천히 움직이기 시작했다.

구구궁.

육중한 석문이 웅장한 소리를 내며 열렸다. 어지간한 사내의 손 뼘보다 더 두꺼운 석문이었다.

기관 장치가 아니면 사람의 힘으로는 도저히 여닫을 수

가 없는 문. 그런 석문을 사용하여 닫아야만 할 정도의 무언가가 저 석문 너머에 있는 것이다.

석문이 열리고 그녀는 안으로 걸음을 옮겼다.

그곳에는 지하에 만든 것이라고는 믿어지지 않을 정도로 넓은 공간이 펼쳐져 있었다.

사방 이백여 평의 원형(圓形)으로 지어진 석실. 어지간한 지진이나 폭발에도 충분히 견딜 수 있는 내구성을 갖췄으며, 그 안에서 백 명의 인원이 한 달은 능히 버틸 수 있을 정도의 건량(乾糧)과 식수와 벽곡단(辟穀丹), 제반 구조물이 마련된 석실이었다.

석실 입구에 선 그녀는 웅장한 소리를 내며 닫히는 석문을 뒤로한 채 천천히 석실을 둘러보았다.

석벽 곳곳에는 주먹만 한 야명주(夜明珠)들이 박혀 있었고, 나름대로 통풍이 되어 있는지 여기저기 설치된 횃불도 잘 타오르고 있었다.

석실 중앙에는 세 개의 관이 약 삼 장 거리를 둔 채 놓여 있었고, 그중 하나의 관만이 뚜껑이 열려 있었다.

뚜껑이 열린 관 주위에는 열세 명의 검은 두건을 쓴 자들이 원을 그린 채 앉아 있었는데, 그들이 두 손을 모은 채 낮은 목소리로 쉬지 않고 뭔가 주문(呪文)을 외우는 모습은 기이하면서도 섬뜩하기조차 했다.

"왔느냐?"

묵직하고 위엄 넘치는 소리가 들려, 그녀는 소리가 들려온 방향으로 고개를 돌렸다.

석실 중앙에서 조금 떨어진 자리, 한 명의 노인이 십여 명의 호위를 거느린 채 오동나무로 만든 태사의(太師椅)에 앉아 있었다.

그녀는 손을 모으고 고개를 숙이며 인사했다.

"부르심을 받고 왔습니다."

"잘 왔다."

근엄하고 위풍당당하게 생긴 노인은 나지막하게 울리는 목소리로 말했다.

"마침 의식이 완성되려는 참이다. 게서 지켜보도록 해라."

"그리하겠습니다."

언제부터인지 그녀는 자신의 부친을 향해 그런 식의 말투를 사용했다. 마치 사내와 같은, 혹은 죽은 오라버니와 같은 말투.

석실 중앙에 앉아 있던 이들이 주문을 외우는 소리가 점점 더 커졌다.

그중 한 명이 천천히 자리에서 일어나 두 팔을 앞으로 내밀었다. 다른 열두 명 역시 합장하고 있던 손을 좌우로 뻗어 마치 어깨동무를 하듯 다른 자들의 어깨 위로 팔을 얹었다.

일순 그녀는 움찔거렸다. 그들의 몸에서 새하얗고 새까만 기운이 동시에 뿜어져 나오는 듯한 착각이 들었던 것이다.

몇 번을 지켜봐도 도저히 이해가 가지 않는, 한편으로는 심장이 오그라들 것만 같은 섬뜩한 광경이었다.

열두 명의 몸에서 흘러나온 새하얀 기운은 왼쪽에서 시작하여 오른쪽으로 이동하였고, 새까만 기운은 오른쪽에서 왼쪽으로 이동하여 일어선 자의 몸으로 스며들었다.

그의 몸이 반은 하얗게 반은 검게 물들기 시작했다. 주문을 읊는 목소리가 더욱 커졌다. 뚜껑이 열린 관을 향해 뻗어 있던 그의 손이 부들부들 떨렸다.

방울 소리가 요란했다. 향의 연기가 석실 내부를 자욱하게 메웠다.

매캐한 향연(香煙)이 짙은 안개처럼 사위를 뒤덮은 가운데, 그 모든 소음이 한데 뒤섞이며 정신을 혼란케 하고 심기를 어지럽혔다.

마음이 약한 자들은 그 혼돈에 사로잡혀 넋이 나가고 정신을 잃었을 것이다. 심지어 노인을 호위하고 있던 이들 중 몇몇 이들조차 비틀거릴 지경이었다.

그녀는 두 눈을 똑바로 뜬 채 그 광경을 지켜보았다. 그녀는 한 치의 흔들림 없는 눈빛으로, 냉정하고 차가우며 이지적인 시선으로, 일어서 있던 자가 입을 크게 벌리고 영단(靈丹)을 토해 내는 것처럼 회색빛의 기운을 띤 무언가를 내뱉는 광경을 바라보았다.

그 회연(灰煙)의 덩어리는 향연으로 뒤덮인 허공을 둥실둥실 날아가 천천히 관을 향해 내려앉았다.

그녀는 저도 모르게 마른침을 꿀꺽 삼켰다.

진정한 의식(儀式)은 바로 지금부터라는 걸, 그녀는 지금껏 봐 왔던 백육십육 번의 경험을 통해서 익히 잘 알고 있었다. 성공과 실패의 가름은 바로 이 찰나의 순간에서 결정된다는 사실도 너무나도 잘 알고 있었다.

그래서였다. 저도 모르게 그녀의 불끈 쥔 손에 힘이 꽉 들어간 것은.

"일어나라."

회연의 덩어리를 토해 냈던 자가 귀기 어린 목소리로 말했다. 하지만 그 목소리에 반응하는 것은 존재하지 않았다. 일어서 있던 자가 격하고 빠른 어조로 다시 외쳤다.

"일어나라!"

여전히 반응을 보이는 건 아무것도 없었다.

'역시.'

긴장하고 있던 그녀는 한숨을 내쉬었다. 꽉 쥐었던 주먹에서 힘이 빠졌다.

실패다.

이번에도 지난 백육십육 번의 결과와 마찬가지로 처참한 실패로 귀결이 난 게다.

하지만 그녀의 부친은, 저 위쪽 태사의에서 눈을 부릅뜬 채 지켜보고 있는 노인은 결코 실망하거나 좌절하지 않은 채 백육십팔 번째의 실험을 시도할 것이다, 언제나처럼.

'이제 그만하실 때가 되었습니다, 아버님.'

그녀는 속으로 중얼거리며 고개를 숙였다.

바로 그때였다.

우웅.

기묘한 진동이, 기이한 소음이 석실 전체에 울려 퍼지기 시작했다.

그녀는 저도 모르게 고개를 들어 정면을 주시했다. 동시에 그의 두 동공이 커다랗게 확장되었다.

'저건!'

믿을 수 없는 일이, 하지만 바라고 바라던 일이 드디어 그녀의 눈앞에서 펼쳐지고 있었다.

뚜껑이 열려 있던 관에서 한 구의 시신이 천천히 몸을 일으켰다. 뻣뻣하게 굳은 채로, 발은 관 바닥에 붙인 채 머리부터 시작하여 가슴 허리가 허공으로 떠오르는 몸을 일으키고 있었다.

잿빛 연기를 토해 냈던 자의 눈가에 눈물이 글썽거렸

다. 그는 감격에 겨워 떨리는 목소리로 말했다.

"나는 네게 새 생명을 준 이자, 곧 네 주인이다. 그 생명이 소진되어 다시 무로 돌아갈 때까지, 너는 네 주인의 명령에 따르고 네 주인을 위해 모든 걸 바쳐야 한다. 새로운 혼에 내 말이 새겨졌으면 이제 그 자리에 무릎을 꿇어라."

관에서 몸을 일으킨 시체가 천천히 무릎을 꿇기 시작했다. 마치 허공에 매달린 채로 무릎의 관절만 이용하여 꿇는 것처럼 그 모습은 어색하고 기이하기 짝이 없었다.

하지만 그 모습을 지켜보던 모든 이들은 실로 경악을 금치 못해야 했다.

무릎을 꿇다니!

이미 죽어서 뻣뻣해진 관절을 이용하여 무릎을 꿇다니!

오로지 뻣뻣한 일자 다리로 쿵! 쿵! 뛰어다닐 줄만 아는 강시(殭屍)가, 마치 살아 있는 자처럼 스스로 무릎을 꿇다니!

직접 눈으로 보면서도 도저히 믿어지지 않는 광경이었다.

그녀는 마른침을 꿀꺽 삼켰다.

백육십칠 번째.

사오 년 동안 황금 백만 냥 이상을 들이고, 백육십 칠 명의 무림 고수들을 죽이고 나서야 비로소 이 가슴 벅찬 광경을 지켜볼 수 있게 된 것이다.

시신은 무릎을 꿇은 채 움직이지 않았다. 술자(術者)는 천천히 시신에게 걸어가 발로 시신의 어깨를 밀었지만 시신은 미동도 하지 않은 채 굳은 듯 얼어붙은 듯 그렇게 무릎을 꿇고 있었다.

술자는 천천히 몸을 돌려 태사의의 노인을 향해 손을 모으고 허리를 숙였다. 그의 입이 열리고 희열에 떨리는 목소리가 연기처럼 흘러나왔다.

"드디어 숙원이었던 태청마라강시(太淸魔羅殭屍)가 완성되었소이다, 가주."

"수고했소, 천화진인(天和眞人)."

태사의의 노인은 우렁우렁한 목소리로 말했다.

"약속대로, 앞으로 귀산파(鬼山派)가 전진(全眞) 계열과 모산파(茅山派)를 비롯하여 방술(方術)을 다루는 방파 중 으뜸이 되고 그 정통(正統)이 될 수 있도록 모든 노력을 아끼지 않을 것이오."

"감사하오이다, 가주."

"어떠냐, 소유(蕭瑜)?"

노인은 문득 그녀를 돌아보며 물었다.

"지금도 내 의지가, 내 노력이 틀렸다고 말하겠느냐?"

"그저 부끄럽기만 할 따름입니다."

그녀는 고개를 숙였다.

"아버님의 혜안과 불굴의 의지를 미처 몰라본 소녀가 너무 작고 왜소하게 느껴질 뿐입니다."

"알면 됐다."

노인은 다시 술자, 천화진인에게로 시선을 돌리며 말했다.

"한 번 성공했다고 너무 자신하지 마시오. 중요한 건 남은 두 구의 시신이니까."

천화진인은 공손하게, 하지만 자신만만하게 말했다.

"지금껏 해 온 대로 할 것이외다."

"좋소."

노인은 그제야 비로소, 처음으로 미소를 지으며 중얼거렸다.

"이제야 다시 내 아들 휘수(輝秀)의 얼굴을 볼 수 있겠구나."

## 2. 어쩌면 무림오적이라는 조직은

천소유(千蕭瑜)는 비틀거렸다.

석벽을 등지고 기대지 않았더라면 하마터면 그 자리에 주저앉을 뻔했다.

그녀는 눈을 감은 채 가만히 석벽에 기대어 섰다. 지하 복도의 공기는 여전히 차갑고 축축했으며 음산했다. 감긴 두 눈 위로 횃불의 음영이 희미하게 흔들거렸다.

저도 모르게 눈물이 흘러나왔다.

'성공이다, 성공이야.'

드디어 성공한 것이다.

음양마라강시의 부활.

그녀의 오라버니 천휘수가 염원했던 그 전설의 병기가 완성된 것이다.

그리고 이게 끝이 아니라 시작이었다.

하나가 성공했으니 곧 두 번째, 세 번째의 음양마라강시가 만들어질 것이다. 그것도 보다 정교하고 보다 완벽한 모습으로 움직이는, 그래서 마치 죽었다가 살아서 돌아온 듯한 모습으로 재현될 것이다.

그리하여 마침내 그녀는 자신의 오라버니와 재회할 수 있게 될 것이다. 이미 오래전에 죽은 오라버니와.

오랫동안 그 자리에서 감상에 젖어 있던 그녀는 어느덧 마음을 추스르고 눈물을 닦았다.

정말이지 실로 오래간만의 낭보에 잠시 마음이 흔들리고 이성을 잃기는 했지만, 그렇다고 마냥 정신을 놓고 이렇게 축 늘어져 있을 그녀가 아니었다.

또 그럴 시간도 없었다. 어쨌든 그녀가 처리해야 할 일들이 산더미처럼 쌓여 있었으니까.

그리고 무엇보다, 이제 진심으로, 놈의 행적을 파악해야 할 때가 되었다.

오라버니를 살해한 자.

그녀의 방심(芳心)을 농락하고 그녀의 육체를 희롱한 건 용서할 수 있었다. 하지만 그녀의 피붙이를 죽게 만든 죄는 결코 용서할 수가 없는 일이었다.

"예추."

천소유는 석벽에서 등을 떼는 동시에 중얼거렸다.

"장예추."

그녀는 천천히 지하 공간을 걷기 시작했다.

흔들리는 횃불의 음영 속에서 그녀의 원념 가득한 눈빛이 샛노랗게 반짝이고 있었다.

* * *

이틀 후, 천소유는 가문의 일을 마치고 태극천맹의 집무실로 복귀했다.

"돌아오셨습니까, 선주(線主)."

충실한 심복들이 허리를 굽히며 말했다. 천소유는 부드러운 목소리로 물었다.

"그간 잘 지냈어요?"

"우리야 잘 지냈습니다만……."

천소유는 심복의 말꼬리를 가볍게 무시하고 자신의 자리에 앉았다.

그녀의 책상 위에는 수백 장의 보고서들이 높은 탑처럼 쌓여 있었다. 그녀가 닷새 동안 집무실을 비운 결과물이었다.

천소유는 낮은 한숨을 쉬며 다시 고개를 돌려 심복들을 쳐다보았다.

비선(秘線)의 선주를 보좌하는 두 명의 부관. 그중 오른쪽에 서 있는 삼십 대 사내는 양명천(梁明天)이라는 자로, 대외 첩보와 정보를 수집하는 임무의 총책임자였다.

왼쪽에 서 있는 양수아(梁繡峨)라는 이름의 이십 대 중후반의 여인은 대내 감찰과 첩보, 정보를 다루는 임무를 책임지고 있었다.

즉, 지금 책상 위에 탑처럼 쌓인 서류 더미는 바로 이 두 사람의 작품인 셈이었다.

"이 많은 서류를 읽기 전에 내가 미리 알았으면 하는 것들이 있을까요?"

그녀의 질문에 사내, 양명천이 공손하게 말했다.

"몇 가지 있습니다."

"그래요? 그럼 가장 중요하지 않은 것부터 이야기를 듣기로 하죠."

"선주께서 자리를 비우신 동안 산서성전주(山西省殿

主)의 장남이 두 차례 방문하셨습니다."

양명천이 입을 열었다.

"두 번째 방문 때에는 혹시 일부러 자리에 없는 척하는 게 아니냐면서 이 집무실 안까지 들어와 확인하고는 상당히 불쾌한 기색으로 돌아가셨습니다."

천소유는 희미하게 미소를 지으며 중얼거렸다.

"정말 중요하지 않은 이야기로군요."

"아마 이삼 일 내로 재방문하시지 않을까 생각합니다. 아직 산서성으로 돌아가지 않고 이곳 천맹에 머무르고 계시니까요."

태극천맹은 맹주 휘하로 크게 본천(本天)과 외천(外天)으로 나뉘어 있었다.

외천은 다시 남북십삼성(南北十三省)에 각각의 성전(省殿)을 두고 그들로 하여금 대륙 전역의 백팔 지부를 관리하게 하였다.

각 성전의 책임자인 전주(殿主)는 고수들이 모래알처럼 즐비한 태극천맹에서도 서열 오십 위 내에 드는 초절정의 고수들이고, 각자 한 성을 책임지고 관리한다는 측면에서 그 세력과 위세는 실로 막강하기 이를 데가 없었다.

그런 성전 중 한 곳인 산서성전의 전주에게는 아들이 셋 있었는데, 후계자라 할 수 있는 장남이 어느 날 우연히 천소유에게 눈독을 들이고 지난 일 년 동안 은근슬쩍

거리를 좁혀 오고 있었다.

물론 천소유는 오대가문 중의 하나인 건곤가 천예무의 여식이었으나 그 사실을 아는 자는 태극천맹의 수뇌부밖에 없었고, 그 사실을 모르는 그자는 가끔씩 이렇게 무례한 방식으로 천소유를 불쾌하게 만들었다.

"그럼 다음 이야기는요?"

천소유는 가볍게 그 불쾌함을 걷어 내면서 물었다. 양명천이 다시 입을 열었다.

"악양부의 밀정 중 한 명에게서 전국 각 지역의 거상들이 모이고 있다는 정보가 들어왔습니다."

"이유는요?"

"은자 수백만 냥에 해당하는 재보가 경매로 나왔다고 합니다. 확실하지는 않지만 피한주 두 알과 피서주 한 알, 그리고 피독주 한 알인 것 같다고 합니다."

"피독주가?"

양명천의 이야기를 무심하게 듣고 있던 천소유는 피독주라는 말에 흠칫 놀랐다.

피한주와 피서주는 말 그대로 한기와 열기를 막아 주는 보물들이었다. 물론 그 효능이나 가치야 굳이 두말할 필요가 없는 보물이기는 했지만, 어쨌거나 그건 고관대작이나 귀족, 갑부들의 장난감에 지나지 않았다.

하지만 피독주는 달랐다. 독을 막아 주고 심지어 해독

(解毒)의 기능까지 지닌 보물. 그건 고관대작이나 귀족보다는 오히려 강호 무림인들에게 더욱 필요한 보물이었다.

"그런 보물들이 어디에서 나온 거랍니까?"

천소유의 물음에 양명천은 공손하게 대답했다.

"확실하게 엿들은 부분이 아니라고는 합니다만 아마도 월영동부에서 구한 물건인 것 같다고 보고했습니다."

"월영동부?"

일순 천소유의 눈빛이 반짝였다. 양명천의 말이 계속해서 이어졌다.

"그 보주들을 가지고 온 자는 두 명의 중년 사내들로, 강서낭추 조태수의 말에 따르자면 변장을 한 모습이라고 합니다. 어쨌든 그 사내들은 조태수에게 보주들을 맡겼고, 조태수는 곧 대륙의 상맹과 거상들에게 통문(通文)을 돌려 그 네 알의 보주를 경매에 부쳤다는 겁니다."

"아직 팔리지는 않았나 보네요."

"네. 닷새 후에 경매가 시작된다고 합니다."

"닷새라……."

천소유는 살짝 고민했다.

'피독주는 확실히 탐이 나네. 설마 강시독(殭屍毒)에도 효과가 있을까?'

그녀가 그런 생각을 하고 있을 때 양명천의 이야기는 당연하다는 듯이 다음 보고로 이어졌다.

"금해가에서 천맹으로 급하게 원군을 요청했습니다."

"금해가에서…… 네? 금해가에서 원군을요? 무슨 일인가요?"

다른 생각에 젖어 있던 천소유는 뒤늦게 깜짝 놀라며 물었다. 양명천은 그런 천소유의 반응이 기쁘다는 듯 빠른 어조로 대답했다.

"원래 악양부에 교룡회라는, 그리 작지 않은 흑도 방파가 있습니다."

"교룡회라면 들어 본 적이 있네요. 요 근래 들어 부쩍 세력을 확장시키고 있는 방파라고 했죠?"

"맞습니다. 전대 회주들이었던 오룡두가 죽고 새로운 회주로 교룡두라는 인물이 들어서면서 교룡회는 악양부에 국한되었던 세력을 호광성 전체로 넓혀 가던 참이었습니다."

"그 교룡두는 꼭두각시에 불과하고 그의 여동생이 교룡회의 진짜 회주라고 했던 것 같은데."

"맞습니다. 아직까지 확실한 건 아니지만, 그 여동생은 누군가로부터의 지원을 통해 교룡회를 전국적인 방파로 키울 야망에 부풀어 있었습니다. 그런데 며칠 전 다섯 명의 괴한들과 싸우다가 교룡회 본산이 몰살당하다시피 한 사태가 벌어졌습니다."

천소유가 놀란 듯 눈이 살짝 커졌다. 양명천은 신이 나서 계속해서 이야기를 늘어놓았다.

“놀라운 건 그 싸움 와중에 금해가와 태극천맹 악양 지부 사람들이 끼어들었다가 그들 역시 다섯 괴한들에게 큰 낭패를 보았다는 사실입니다. 악양 지부주 송강우가 패배를 당했고 구천자께서 목숨을 잃으셨으며, 심지어 무정검왕께서도 큰 중상을 당하셨다고 합니다.”

“무정검왕이요?”

천소유의 입이 벌어졌다.

실로 믿을 수 없는 보고였다. 무정검왕은 당금 천하에서 가장 강한 인물 중의 한 명이었다. 굳이 무림십왕이라는 단어를 꺼내지 않더라도, 그와 대적하여 엇비슷한 실력을 보일 자는 전 무림을 통틀어도 그리 많지 않았다.

그런 초절정의 고수가 중상을 입었다니. 도대체 그 다섯 괴한의 정체가 무엇이란 말인가?

‘다섯 명…… 다섯 명? 설마…….’

천소유는 특급 기밀에 해당하는 정보 중 하나를 떠올렸다. 사마외도의 잔당들이 오대가문을 상대하기 위해 만들었다는 특수 조직. 천소유는 그 조직의 이름인 무림오적을 똑똑하게 기억하고 있었다.

‘지금껏 무림오적이라는 단어가 우리 다섯 가문을 적시(摘示)하는 말인 줄 알았는데…… 어쩌면 그게 아닌지도 몰라.’

그녀의 눈빛이 차갑고 날카롭게 빛났다.

### 3. 오늘 당장

천소유는 비선이라는 조직의 총책임자였다.

비선은 태극천맹 원로회 소속의 정보 기구이자 비밀 감찰 조직으로, 태극천맹 내외에서 벌어지는 모든 사건 사고들에 대한 조사를 맡고 있었다.

비선은 태극천맹에 소속된 조직이었으나, 맹주가 아닌 원로회의 결정과 지시에 따라 움직이고 모든 보고는 오직 원로회의 회주에게만 하게 되어 있었다.

즉, 태극천맹 소속이되 태극천맹과는 무관하게 독자적으로 움직일 수 있는 조직, 그게 바로 비선이었다.

지금 그 비선에서 중점적으로 조사하고 있는 사안은 태극천맹의 비리나 태극감찰밀, 혹은 각 지부들의 횡포 등에 관련된 사안이 아니었다.

무림오적.

비선은 수년 전부터 그 무림오적이라는 조직을 조사하고 뒤쫓는 중이었다.

천소유는 지난날 천왕가의 사양곤이 사천 성도부의 전직 포두에게 큰 낭패를 당했던 사실을 잘 알고 있었다.

또한 이 년 전, 무적가의 가주와 소가주를 해치웠던 자들에 대한 정보를 조사하고 있었다.

그리고 얼마 전 철목가의 가주 정극신이 대군을 이끌고 사천 성도부로 향했다가 갑자기 퇴각하여 철목가로 퇴각한 사실에 대해서도 실상을 수소문하던 참이었다.

무엇보다 천소유는 그녀의 가문인 건곤가가 야심 차게 진행해 왔던 음양마라강시에 관한 계획을 괴멸시켰던, 그리고 그 와중에 그녀의 오라버니를 살해했던 자가 누구인지 잘 알고 있었다.

'무림오적이라는 조직을 알기 전까지만 하더라도 그것들 모두 하나하나 개별적인 사건이라고만 생각했지. 하지만 지금은 그게 아니라는 걸 알고 있어. 그 모든 것들이 오대가문을 붕괴시키기 위해서 무림오적이라는 조직이 만든 사건이라는 걸 말이지. 그리고…….'

장예추가 그 무림오적에 속한 인물이라는 사실도.

장예추라는 이름을 떠올린 순간 천소유의 얼굴이 딱딱하게 굳어졌다. 그녀는 입술을 깨물었다.

'어쩌면 무림오적이라는 게 대단한 세력을 지닌 조직이 아니라, 다섯 명의 뛰어난 인물로 구성된 소규모의 정예집단일지도 몰라. 그리고 사마외도의 잔당들이 뒤에서 그들을 후원하고 도와주는 걸 수도 있어.'

그리고 그 중심에는 사천 성도부가 있었다.

천왕가 가주 사양곤의 콧대를 꺾은 자는 성도부 전직 포두였고, 무적가가 전 병력을 이끌고 공세를 취하려 했던 곳이 성도부였으며, 철목가 정극신이 머물다가 갑작스레 퇴각한 곳 역시 성도부였다.

'성도부에 뭔가 있는 게 분명하다.'

닷새 전, 그러니까 부친의 부름을 받기 직전 천소유는 그렇게 결론을 내리고 성도부로 양명천과 비선의 고수들을 파견하려 했다.

하지만 음양마라강시에 관한 사안으로 그녀가 비선의 집무실을 비우게 되면서 그 결정은 잠시 뒤로 미뤄졌던 것이다. 그리고 그 며칠 동안, 성도부가 아닌 악양부에서 상당한 규모의 사건이 터져 나왔다.

"금해가 측에서는 원로회 어르신 오십여 명과 내천의 고수 백여 명, 그리고 호광성 전체 지부의 병력을 급파해 달라고 요청하였습니다."

양명천의 보고는 쉼 없이 이어졌다.

"맹주는 곧 전석회의(全席回議)를 주최하여 그 요청에 대해 논의했고, 그 결과 열두 명의 원로와 백 명의 본산 고수, 그리고 호광성의 부전주가 이끄는 사백 명으로 구성된 원군을 차출해 주기로 결의했습니다."

"금해가주가 그 소식을 들었다면 성에 차지 않았겠네요."

"아무래도 그렇겠죠. 금해가주 본인이 친서를 작성하여 보낸 요구에도 불구하고 삼분지 일도 되지 않는 병력만을 보낸다고 했으니 말입니다."

"그래요. 그럼 그들은 언제 출발하죠?"

"본산의 인원들은 중도에서 호광성전의 병력과 합류하기로 한 상태로, 어제 출발했습니다."

"그럼 이삼 일 후, 한양(漢陽) 언저리에서 만나겠군요."

"아마도 그럴 것 같습니다."

한양은 무창(武昌)에서 그리 멀리 떨어지지 않은 현으로, 종종 무창과 한양을 합쳐서 무한(武漢)이라는 지명으로 부르기도 했다.

천소유는 홀로 생각하며 중얼거렸다.

"그럼 닷새 안에는 악양부에 당도한다는 건데…… 그때까지 금해가는 그 다섯 괴한을 악양부에 붙잡아 놓을 자신이 있다는 말인가?"

그 말을 들었는지 양명천이 눈치 빠르게 입을 열었다.

"안 그래도 금해가는 현재 수백 명의 숙객들과 악양의 인근 지부원들, 그리고 관가의 사람들까지 동원하여 천라지망을 펼치고 있습니다."

"하지만 이상하잖아요? 구천자를 살해하고 무적검왕에게 중상을 입힌 자들이 그 정도의 천라지망에서 벗어나지 못한다? 아무래도 그건 아닌 것 같아요. 뭔가 다른 속

사정이 있을지도 모르죠."

"아, 그럴 수도 있겠습니다."

"다른 속사정이라면 가령 무적검왕과 싸우다가 다섯 괴한들 중 누군가가, 아니면 그들 모두 적잖은 부상을 입었을 수도 있겠죠. 아니면 따로 악양부에서 반드시 해결하고 가야 할 숙제가 아직 남아 있을 수도…… 아!"

홀로 중얼거리던 천소유가 갑자기 탄성을 올리고는 양명천에게 물었다.

"그 경매라는 게 언제 시작한다죠?"

"나흘 후라고 알고 있습니다."

"그렇군요."

천소유는 고개를 크게 끄덕였다.

얼추 얼개가 그려지고 있었다. 왜 다섯 괴한이 아직도 뭉그적거리며 악양부에 남아 있는지 대충 알 것 같았다.

'조태수를 찾아왔다는 그 두 명의 변장한 사내들은 다섯 괴한 중 둘일 가능성이 커. 왜 그들이 교룡회와 싸우게 되었는지는 정확하게 알 수는 없지만, 아마 돈 문제가 걸려 있었겠지. 어쩌면 그 보주들에 관련된 일일 수도 있겠지.'

천소유는 지금 양명천으로부터 얻은 몇 가지 단서와 정보를 바탕으로 나름대로의 추론을 이어 나갔다.

'그리고 금해가와 태극천맹이 자신들을 노리고 있다는

사실을 알면서도 굳이 악양부를 벗어나지 않고 있는 이유는 조태수의 경매가 끝난 후 그 대금을 받기 위해서일 테고…….'

시험 문제를 풀다 보면 참으로 재미있게도 중간 과정은 다 틀렸음에도 불구하고 정답을 맞히는 경우가 왕왕 있다, 바로 지금 천소유의 추론처럼.

그녀의 추론 중 교룡회와 얽힌 부분은 그야말로 상상일 뿐이고, 그것도 사실과는 전혀 다른 엉터리 추측에 불과했다.

그럼에도 불구하고 그 결론은 놀랍게도 현재 다섯 괴한이 처해 있는 상황에 절묘하게 맞아떨어졌다.

"재밌네요."

천소유는 다시 맑고 고운 눈빛을 반짝이며 입을 열었다.

"한동안 무림의 모든 세력이 사천 성도부에 쏠렸던 것처럼 지금은 악양부에 모든 이목이 집중되는군요. 거기에는 정체를 알 수 없는 다섯 괴한이 있고요."

그걸 질책이라고 받아들인 것일까.

"죄송합니다."

양명천은 허리를 숙이며 빠른 어조로 말했다.

"현재 악양부에 있는 열세 명의 밀정과 조직원을 동원하여 그 다섯 괴한의 정체와 목적 등에 대해서 조사를 하고 있는 중입니다. 하지만 워낙 그자들의 행적이 신비롭고 무공이 뛰어나 좀처럼 그들의 행방을 수소문하기가 힘든 실정입니다."

"양 당주를 탓하려는 게 아니에요."

"알고 있습니다. 하지만 그렇다고 해서 선주께서 원하시는 바를 미리미리 대령하지 못한 잘못까지 무마될 수는 없습니다. 그리고 가장 최근에 들어온 보고에 따르자면 금해가의 천라지망이 악양부 남천로 일대로 축소 중이라는 것 같습니다. 그 정보로 보건대, 아마 그 다섯 괴한이 은신하고 있는 장소는 남천로 일대가 아닌가 싶습니다."

"잘 알겠어요."

천소유는 가볍게 미소를 지으며 말했다. 그러고는 고개를 돌려 여태 단 한 마디도 하지 않고 서 있던 양수아를 바라보며 말을 이었다.

"양 단주는 따로 보고할 게 없나요? 내가 없는 동안 맹내에는 별다른 일이 없었나요?"

그녀의 물음에 양수아는 차분한 어조로 말했다.

"겉으로는 여전히 평온해 보입니다만 물밑에서는 한참 치열한 갑론을박과 눈치 싸움이 벌어지고 있는 중입니다. 원로회에서도 맹주와 오대가문 어느 편에 서야 유리할지 계산하고 이익을 따지는 노인네들이 절반 이상 되는 것 같습니다."

"오대가문의 위세가 확실이 약해졌군요."

천소유가 푸념하듯 말했다.

"사오 년 전이었다면 감히 오대가문을 상대로 반기를 들 엄두조차 내지 못했을 텐데…… 그 무림오적인가 하는 자들에 의해 오대가문이 이런저런 타격을 받게 되자 그걸 기회로 삼는 자들이 너무 많아졌어요."

"맹주가 대표적인 인물이죠."

"그러니까요. 도대체 맹주의 속셈이 뭔지 정말 궁금하네요. 한번 만나서 그 속내를 들여다보고 싶어요."

"맹주 이야기가 나와서 말씀드리는데, 맹주는 지금 북경부에 가 있습니다."

"북경부?"

"네. 아무래도 이번 오대가문과의 사태를 정치적으로 풀 의도가 있지 않나 그렇게 생각됩니다."

"정치적이라면…… 역시 황제 폐하나 황태자 전하의 비호를 등에 업겠다 이건가요?"

"그건 확실하지는 않습니다. 다만 북경부의 여러 고위 관리들과 접촉을 하고 있는 것만은 사실입니다. 아마도 이번 달 중순까지는 그곳에 머무를 거라고 예상합니다."

"북경부라……."

천소유는 가볍게 눈살을 찌푸렸다.

태극천맹의 맹주 정문하.

그저 아랫사람들에게 인기가 많고 추종자가 많다는 것만으로 현 맹주가 된 자.

처음에는 오대가문과 적극적으로 협력하고 오대가문이나 원로회의 어른들을 깍듯이 모시던 그가 갑작스레 변한 건 역시 지난날 황궁 역모 사건 이후의 일이었다.

그 사건을 해결하는 데 일조한 공로로 황제와 독대를 한 정문하는 그때부터 자신의 목소리를 내기 시작했으며, 보다 강력하게 자신의 주장을 밀어붙이기 시작했다.

사실 그가 계획하고 이루고자 하는 '태극천맹의 새로운 변화와 개혁'이라는 근본적인 주제에는 천소유도 찬성하는 바가 없지 않았다.

고인 물은 썩는다고, 강호 무림 위에 군림하는 태극천맹의 체제가 수십 년이 지나다 보니 이곳저곳에서 잡음이 터져 나왔고 온갖 비리와 악행들이 쏟아졌다.

그걸 뜯어고치고 바로잡겠다는데야 어느 누가 반대할 수 있을까.

하지만 정문하의 구상에는 놀랍게도 더는 오대가문이 존재하지 않았고, 바로 그 이유로 인해 천소유는 그의 계획에 찬성할 수가 없었다.

'태극천맹은 오대가문이 근간이 되어 세워진 연합체이다. 만약 정 맹주가 그 오대가문을 제외하고 축출한다면

태극천맹은 더 이상 태극천맹이 아닌 게 되는 거지.'

천소유는 한숨을 내쉬었다.

'무림오적이라는 조직의 일만으로도 골치가 지끈거릴 지경인데 거기에 맹과 오대가문의 알력까지 생겼으니……. 만약 음양마라강시가 이번에도 성공하지 못했더라면 정말 우울한 하루가 될 뻔했어.'

그녀는 잠시 생각하다가 마음을 가라앉히고 입을 열었다.

"출장 준비를 해야겠어요."

양명천의 눈이 휘둥그레졌다.

"북경부로 말입니까?"

양수아가 눈치를 주며 말했다.

"웬 갑자기 북경부인가요, 이 답답한 오라버니. 당연히 악양부로 떠나는 거겠죠."

천소유가 피식 웃었다. 역시 친남매의 다툼은 언제나 보기 좋았다. 천소유는 더 이상 할 수 없는 다툼이었지만.

그녀는 미소를 지은 채 입을 열었다.

"이번에는 동생의 말이 맞았네요. 악양부로 가겠어요. 양 단주가 실력 좋은 애들 열 명 정도를 꾸려서 함께 가죠."

그러자 양명천이 놀라 물었다.

"아니, 왜 제가 아니라 여동생입니까? 무공이든 심기든 충성심이든 뭐든 제가 더 낫지 않습니까?"

"이보세요, 오라버니."

"아니, 그 말이 사실인지 아닌지는 나중에 둘이 따지기로 하고…… 무엇보다 양 단주와 같이 움직이면 같은 방을 써도 되니까요."

천소유의 말에 양명천의 얼굴이 가볍게 상기되었다. 그는 헛기침을 하면서 말했다.

"허험. 저 역시 같은 방을 써도 상관없습니다만."

"그건 양 당주나 그렇죠. 나는 상관있어요."

천소유는 웃음을 참으며 말했다.

"양 단주는 빠르게 준비하세요."

양수아가 물었다.

"언제 출발할 예정이신지……."

"오늘 당장."

천소유의 입가에서 미소가 사라졌다.

"어제 출발한 맹 내의 원군들을 따라잡기 위해서는 최대한 서둘러야 하니까요. 어쨌든 그들보다 먼저 악양부에 당도할 수 있도록 해야 해요."

"그럼 당장 준비하겠습니다."

양수아는 빠르게 대답하고 몸을 돌려 집무실을 나서려 했다.

그때였다. 집무실 밖에서 젊은 무사의 목소리가 들려왔다.

"산서성전주의 장남이신 문태인(文泰寅), 문 단주가 선주를 뵙기 위해 방문하셨습니다."

일순 천소유와 양명천, 양수아의 얼굴이 동시에 일그러졌다.

2장.

# 수상한 손님들

"하지만 지금 난 안달이 난 상태라네.
그러니 어쨌든 그게 썩은 동아줄이든, 아니면 가짜 동아줄이든
하늘에서 내려온 거라면 무조건 잡아 보고 싶은 심정인 게지.
그리고 그 동아줄 중의 하나가 바로 저 뚱보 주인장인 게고."

## 수상한 손님들

### 1. 불청객(不請客)

북경부에서 동북쪽으로 변방 가까이 가다 보면 유주(幽州)가 나왔다.

유령과 귀신들만이 산다는 스산하고 황량한 땅.

흙먼지와 세찬 바람, 돌풍과 황무지로 대변되는 유주 구석진 끝자락에는 전혀 어울리지 않아 보이는 객잔 한 채가 먼지바람을 맞으며 우뚝 서 있었다.

입구에는 원래 붉은색이었다가 이제는 누렇게 빛바랜 깃발이 펄럭이고 있었고, 깃발에 적힌 유랑객잔(流浪客棧)이라는 네 글자는 도저히 알아볼 수 없을 정도로 지워져 있었다.

그 먼지바람을 맞으며 여섯 명의 죽립을 쓴 자들이 황무지를 건너와 유랑객잔에 이르렀다. 그중 한 명이 나직하게 입을 열었다.

"두봉(斗篷)과 죽립에 쌓인 먼지는 깨끗하게 털고 들어가자. 그게 객잔에 대한 예의이니까."

두봉은 바람을 막거나 추울 때 걸치는 소매 없는 외투를 가리키는 말이었다.

하지만 언제부터인가 사람들은 보다 직관적인 표현인 피풍의(披風依)와 혼용하여 사용하기 시작하더니, 작금에 이르러서는 두봉이라는 단어는 거의 사용하지 않게 되었다.

사내의 말에 따라 사람들은 황무지를 건너오는 동안 죽립과 피풍의에 쌓였던 먼지를 깨끗하게 털어 낸 후 객잔의 문을 열었다.

삐거덕거리는 소리가 주변의 정적을 일깨웠다.

객잔 내부는 좁고 허름했다. 몇 개 되지 않은 탁자와 단 한 명도 보이지 않는 손님, 그래서인지 계산대 앞에 앉아서 꾸벅꾸벅 졸고 있는 뚱뚱한 중년인이 이 유령객잔의 전부였다.

여섯 명의 죽립인들이 제법 요란한 기척을 내며 들어왔음에도 불구하고 거대한 체구의 뚱보 중년인은 여전히 졸고 있었다.

죽립인들은 입구 앞에 멀뚱하게 서 있었다. 그중 한 명이 천천히 걸음을 옮겨 창가 쪽 탁자에 자리를 잡고 앉았다. 그제야 다른 네 명도 그를 따라 자리에 앉았다.

그들은 천천히 삿갓을 풀러 의자 한쪽에 내려놓았다. 세 명의 사내와 세 명의 여인이었다.

세 명의 사내 중 한 명은 이십 대 중후반의 젊은이였고, 두 명은 초로(初老)에 접어든 노인이었다. 그리고 세 명의 여인은 꽃처럼 아름다운 이십 대 초중반으로 보였다.

잘생긴 외모와 호리호리한 체구의 젊은이는 감개무량한 눈빛으로 객잔 이곳저곳을 둘러보았다.

"이곳이 바로 그 유량객잔인가?"

그는 마치 고대의 유물을 접한 역사가이기라도 한 듯 연신 고개를 끄덕이고 감탄하면서 때가 덕지덕지 묻은 걸상과 탁자를 바라보고 또 만져 보기도 했다.

반면 도저히 이런 객잔과는 어울려 보이지 않는, 아름다우며 고귀한 기품이 넘쳐흐르는 여인들은 생각보다 훨씬 더 지저분하고 위생적이지 않은 객잔 내부의 모습에 살짝 눈살을 찌푸렸지만 함부로 입을 열지는 않았다.

두 명의 노인은 팔짱을 낀 채 반쯤 감은 눈으로 허공을 응시하고 있었다. 마치 도(道)라도 닦는 것처럼, 혹은 세상 만사 모두 관심이 없는 것처럼 초연하거나 무관심한 표정을 지은 채 묵묵히 앉아 있었다.

실로 묘한 조합의 그들이 객잔에 들어선 지 약 일각의 시간이 흐르고 나서야, 졸고 있던 뚱보 주인장이 두 팔을 벌려 기지개를 켜며 눈을 떴다.

"하아아암. 어라, 언제들 오셨수?"

그는 늘어지게 하품을 하다가 뒤늦게 손님들을 보고는 조그만 눈을 휘둥그레 뜨며 물었다. 잘생긴 청년이 담담하게 웃으며 대답했다.

"약 일각 정도 전에 왔습니다."

"아니, 그러면 깨우지 그러셨소?"

"아닙니다. 워낙 곤히 주무시는 것 같아 잠시 창밖 풍경을 감상하던 참이었습니다."

"풍경은 무슨."

뚱보 주인장은 끄응, 하고 자리에서 일어나며 투덜거렸다.

"황량하고 스산한 황무지에다가 이제는 몇 사람 남지 않은 빈집뿐인 마을인데 볼 게 어디 있겠소?"

"그래도 이곳이 유량객잔이 아닙니까? 그것만으로도 충분히 천하 그 어떤 곳보다 제 가슴을 뛰게 만듭니다. 제가 직접 이곳까지 온 보람이 있습니다."

"우리 객잔이 왜?"

뚱보 주인장은 걸레를 들고 탁자로 다가오면서 고개를

갸우뚱거렸다.

“설마 내 요리 솜씨가 강호 무림까지 퍼진 건 아닐 테고.”

청년은 미소를 지은 채 말했다.

“사실대로 말씀드리자면 벗의 행적을 좇다가 우연히 알게 되었습니다. 이곳이 세상에 둘도 없는 복마전이라는 걸 말입니다.”

“복마전? 왜, 그 마귀들이 산다는?”

“네. 이런저런 조사를 하다 보니까 이곳에서 제법 유명한 무림 고수들이 유명(幽明)을 달리했다는 사실을 알게 되었죠. 그래서 도대체 이곳에 뭐가 있나, 하고 이렇게 직접 찾아오게 된 겁니다.”

“흠, 생전 처음 들어 보는 소리군.”

뚱보 주인장은 영문을 모르겠다는 표정을 지으며 말했다.

“이곳에서 사람들이 죽어 나간 일도 없고, 무엇보다 이 마을은 강호에서 버티다가 견디지 못하고 도망친 자들의 마을이라오. 제법 유명한 무림 고수들이라니…… 에이, 말도 안 되는 소리. 다들 어중이떠중이들일 뿐이오. 뭔가 잘못 찾아오신 모양이구려.”

뚱보 주인장은 솥뚜껑처럼 크고 곰 발바닥처럼 두툼한 손으로 탁자를 훔치며 말을 이었다.

"어쨌든 기왕 예까지 오셨으니 뭔가 주문은 하셔야지? 이곳이 만담(漫談)이나 나누는 장소도 아니니까 말이오."

"그럴까요?"

청년은 뚱보 주인장의 손을 내려다보며 말했다.

"그러면 주인장께서 가장 잘하시는 요리로 오 인분 부탁합니다."

"술은?"

"술은 괜찮습니다."

"흠, 원래 이렇게 허름하고 누추한 곳에서는 술이 남는 장사인데."

"그런가요? 그럼 가장 좋은 술로 한 항아리 주십시오."

"그럽시다. 아, 대금은 선불이라오. 다 합쳐서 은자 오십 냥이오."

"그게 무슨……!"

소매를 들어 입을 가린 채 잠자코 있던 여인 하나가 발끈하여 소리쳤다. 은자 오십 냥이라니, 아무리 그래도 너무 과한 바가지라는 생각이 든 모양이었다.

"됐다, 항아(嫦娥)야."

청년의 부드러운 목소리에 항아라 불린 여인은 얼른 입을 다물었다. 청년은 그녀의 옆에 앉아 있던 여인을 돌아보며 말을 이었다.

"돈을 내 드려라, 상희(常羲)야."

비취색 비단옷을 입은 여인이 소매에서 백 냥짜리 은원보(銀元寶) 하나를 꺼냈다. 청년은 상희라는 여인이 뚱보 주인장에게 그 은원보를 건네는 모습을 물끄러미 지켜보며 말했다.

"저녁 식사 대금까지 함께 드리는 겁니다."

뚱보 주인장은 말없이 입으로 은원보를 깨물어 진위을 확인한 다음, 퉁명한 어조로 말했다.

"저녁 식사는 은자 백 냥이라오."

항아라는 여인의 얼굴이 붉게 달아올랐다. 그러나 청년은 여전히 미소를 잃지 않은 채 말했다.

"전표 다섯 장을 드리거라. 아예 오늘 숙박비와 내일 아침 식대까지 포함해서."

상희가 전표를 꺼내자 뚱보 주인장은 고개를 저었다.

"이곳에서는 전표를 취급하지 않소. 주변 오백 리 일대에 전표를 바꾸러 갈 곳이 없으니까. 은원보로 주시오."

그 말에 결국 항아가 폭발했다.

"아니, 아무리 우리 총…… 도련님께서 착하고 다정하시다고 해도 이건 너무 하는 것 아닌가요?"

항아는 뚱보 주인장을 노려보며 말했다.

"이렇게 끔찍하게 더럽고 허름하고 불결한 곳에서 얼마나 대단한 음식이 나온다고 은자 오십 냥씩이나 받는 거죠? 게다가 저녁 식사는 백 냥? 그것도 은원보만 받겠다고?"

"싫으면 가시든가."

그렇게 대꾸하는 뚱보 주인장의 말투는 여전히 무뚝뚝하고 퉁명했다.

사실 다른 여인들도 마찬가지였지만 이 항아라는 여인은 한 성(城)에서 한 명 찾을까 말까 할 정도로 아름답고 육감적이며 매혹적인 외모를 갖추고 있었다.

이른바 경국지색(傾國之色)이라는 단어가 바로 이런 여인들을 위해 존재하는 게 아닐까 싶을 정도로, 모든 사내들의 가슴을 두근거리게 만들고 정신을 혼미하게 할 정도의 미모를 지니고 있었다.

하지만 뚱보 주인장은 전혀 아랑곳하지 않았다. 그에게는 칠십 먹은 꼬부랑 노파나 이 항아라는 여인이나 별반 다를 게 없는 모양이었다. 그저 돈을 내고 식사를 하는 손님. 그 이상도 이하도 아닌 듯했다.

"하하, 그 정도만 해라. 그러다가 진짜 쫓겨나겠다."

청년이 웃으며 말렸다.

"하지만 도련님……."

항아는 억울하다는 듯이 청년을 쳐다보다가 일순 갑자기 사색이 되어 고개를 숙이며 말했다.

"잘못했어요."

"알면 됐다."

청년은 미소를 잃지 않은 채 말했다.

"그럼 아예 금원보(金元寶)로 드리거라, 상희야."

상희란 여인은 전표를 거둬들이고 다시 금원보 한 개를 꺼내 뚱보 주인장에게 건넸다. 언뜻 봐도 은자 오백 냥 이상의 가치를 지닌 금원보였다.

뚱보 주인장은 다시 금원보를 깨물어 본 후 품에 쓰윽 넣으며 말했다.

"그럼 저 구석의 여인은 상의(常儀)라도 되오?"

청년은 놀란 듯 눈을 크게 뜨며 되물었다.

"그걸 어찌 아셨습니까?"

"어찌 알기는. 항아, 상희, 상의. 모두 월궁항아(月宮嫦娥)의 또 다른 이름이 아니오?"

외려 뚱보 주인장이 어처구니없다는 듯이 말했다.

"그런 이름들을 가진 여인이 셋이나 있고, 또 그 셋이 함께 몰려다니는 건 처음 보는 일이오."

항아는 월궁에 사는 선녀로 따로 상희, 상의라는 이름으로 불리기도 했다. 대륙의 사람들이라면 누구나 그 전설을 듣고 자라 왔기에, 뚱보 주인장이 그런 사소한 상식을 알고 있다는 것에 대해 청년이 놀라는 게 더 이상할 정도였다.

청년은 웃으며 말했다.

"세 자매 모두 자기들이 월궁의 항아처럼 아름답다고

우기니 어찌하겠습니까? 그러니 그런 이름으로 불러 줄 수밖에요."

"뭐, 그야 댁 사정이고."

뚱보 주인장은 마저 탁자를 훔친 후 몸을 돌려 주방으로 향하며 말했다.

"반 시진만 기다리시오. 혼자 하니까 조금 시간이 걸리오."

"천천히 하십시오."

청년은 주방으로 들어가는 뚱보 주인장의 등에 대고 그렇게 말했다.

## 2. 내기

"도대체 저 뚱보 주인장의 어디가 마음에 드셨는지 모르겠다니까."

항아가 입을 삐죽이며 말했다.

"도련님께서 이렇게 정중한 모습은 난생처음 보네요."

"아서라."

청년이 부드럽게 말했다.

"조금 전 너도 저 주인장의 손을 보지 않았더냐?"

"시커먼 털이 숭숭 나 있는, 곰 발바닥 같은 손이요?"

"그래. 그걸 보고도 아무것도 느끼지 못했더냐?"

"느꼈죠. 사람 손이 이렇게 크고 두툼할 수도 있네, 라고요."

"허어. 내가 그동안 네게 뭘 가르쳤는지 모르겠구나."

청년은 고개를 설레설레 젓고는 그의 좌우에 앉아 있는 노인들에게 시선을 돌리며 말을 건넸다.

"일로(日老)와 월로(月老)는 어찌 생각하느냐?"

눈을 반쯤 감고 있던 오른쪽 노인이 입을 열었다.

"고수이더군요."

새하얀 수염을 길게 기른 왼쪽 노인이 뒤따라 말했다.

"깊이가 전혀 보이지 않더이다."

"역시."

청년은 만족스럽다는 듯 고개를 끄덕이며 말했다.

"처음에는 굳이 내가 직접 이곳까지 올 이유가 있을까 하고도 생각했지만 지금 와서 보니 정말이지 잘 와 봤구나 싶다. 내 눈으로 직접 보지 않았더라면 천하에 저런 고수가 존재한다는 걸 믿지 못했을 테니까 말이다."

항아가 눈을 동그랗게 뜨며 물었다.

"그렇게 고강한 고수인가요? 그런데 저는 왜 그걸 눈치채지 못했을까요?"

"원래 돼지 눈에는 돼지만 보이는 법이란다."

"그럼 제가 돼지인가요?"

"그렇지. 아주 아름답고 우아하고 매혹적인 돼지인 게지."

"치잇. 그거 칭찬 아니죠?"

"칭찬이다, 칭찬."

청년은 그렇게 항아와의 대화를 끝내고는 이내 고개를 갸웃거리며 중얼거렸다.

"그리고 보니 저 뚱보 주인장의 별명이 저귀(猪鬼)라고 하니, 항아 너와는 정말 잘 어울리는 한 쌍이 되겠구나."

이내 항아의 얼굴이 울상이 되었다.

"설마…… 도련님께서는 지금 저를 저 뚱보와 엮어 주시려는 건 아니겠죠?"

"글쎄다. 나야 주인장만 허락한다면 너뿐만 아니라 상희, 상의 모두 주고 싶은 마음이다만."

"아휴. 제발 거둬 주세요, 그 말씀은. 제게는 오로지 도련님밖에 없다니까요."

"하하하. 농이다, 농. 게다가 무엇보다 네가 아무리 예쁘다 한들 저 주인장의 마음에 들 리가 없으니까."

그 말에 살짝 자존심이 상했을까.

"무슨 말씀이세요?"

항아는 오뚝한 코를 치켜들며 도도하게 말했다.

"제가 마음만 먹으면 설령 부처라 하더라도 제 앞에서 무릎을 꿇고 애원하게 될 건데요."

"그럼 내기할까?"

"좋아요. 큰 걸로 걸어요."

"그럼 뭐가 좋으려나? 그래. 항아 네가 주인장의 무릎을 꿇게 만든다면…… 아니, 거기까지는 바라지도 않는다. 그저 주인장이 널 껴안거나 입을 맞추기만 하면 예전부터 갖고 싶어 했던 수정옥(水晶玉)을 주지. 대신 네가 지면……."

잠시 고민하던 청년은 이내 빙긋 웃으며 말했다.

"됐다, 네게 무슨 벌을 줄 수 있겠느냐? 벌은 없고 상(賞)만 있기로 하자."

그 내기의 조건이 너무나도 달콤했을까.

청년의 말이 끝나자마자 또 다른 여인들, 상희와 상의의 눈이 반짝였다. 그녀들은 누가 먼저라고 할 것 없이 동시에 입을 열었다.

"그 내기, 저도 할게요."

"저도 할래요."

항아가 눈살을 찌푸리며 말했다.

"왜 그래요, 언니들. 이건 어디까지나 총…… 아니, 도련님과 나만의 내기라고요."

"어머나? 설마 우리에게 이길 자신이 없는 거야?"

"그건 또 무슨 소리예요? 당연히 내가 이기죠."

"그런데 뭐가 겁나서 우리와 함께 내기를 못한다는 걸까?"

언니들은 항아의 호승심과 자존심이 얼마나 강한지 잘 알고 있는 모양이었다. 아니나 다를까, 항아는 그녀들의 격장지계에 넘어간 듯 풍만한 가슴을 앞으로 내밀며 말했다.

"흥! 내가 왜 언니들을 두려워하겠어요? 좋아요. 오늘 당장 결판을 내죠."

"아니, 그건 무리다."

청년이 고개를 저으며 말했다.

"내 넓은 아량을 베풀어 넉넉하게 시간을 주마. 늦어도 내가 이곳을 떠날 때까지 승부를 결정내면 된다."

자매 중 둘째인 상희가 고개를 갸웃거리며 물었다.

"하룻밤 주무시고 간다는 계획이 아니셨던가요?"

"그건 내 오만이었다."

청년은 쑥스럽다는 듯이 웃으며 말했다.

"직접 이곳에 와서 주인장을 보고 나니 확실히 그게 얼마나 오만한 계획이었는지 알 수 있었구나. 저 주인장의 태도를 보건대, 최소한 닷새는 머물러야 할 것 같다."

"닷새요? 그럴 시간이 있습니까?"

청년 왼쪽에 앉아 있던 일로라는 노인이 움찔 놀라며 물었다.

"없더라도 만들어야지."

청년은 싱긋 웃었다.

"나도 그들처럼 더 강해지고 싶으니까."

그러자 오른쪽의 수염이 짧은 월로가 살짝 눈살을 찌푸리며 입을 열었다.

"아무리 도련님이라고 하시더라도 단시일 내에 한 단계 더 성장하는 건 불가능한 일이라고 생각합니다."

"글쎄."

청년은 팔짱을 꼈다. 처음으로 그의 얼굴에서 웃음기가 사라지는 순간이었다.

"심벽을 깨고 앞으로 더 나아가는 건 평생이 걸릴 수도, 아니면 한순간에 일어날 수도 있는 일이니까. 그리고 내가 아는 그들은 분명 이곳, 유량객잔에서 틀을 벗어던지고 단번에 몇 단계 상승했으니까. 나도 그렇게 되지 말라는 법은 없지 않겠느냐?"

"사실 저는 믿지 않습니다."

월로가 단호한 어조로 말했다.

"물론 그동안 조사를 통해서 그들이 이곳에서 갑자기 무공이 상승한 것 같다는, 그래서 이곳 주인장과 무슨 연관이 있지 않을까 싶다는 보고를 받기는 했지만, 그건 조사한 이들의 착각이거나 혹은 오해일 거라고 생각합니다."

청년은 담담한 표정으로 월로의 이야기를 들었다. 월로는 계속해서 말을 이어 나갔다.

"심벽이라는 건 스스로 깨부수는 것이지 누군가의 가

르침을 통해서 깰 수 있는 게 아니니까요. 만약 그게 가능하다면 한 명의 심벽을 깬 이를 통해 수십, 수백 명의 심벽을 깬 자가 양성될 수도 있지 않겠습니까?"

월로의 긴 이야기가 끝나자 청년은 고개를 끄덕이며 동의하는 표정을 지었다.

"나도 그리 생각하고 싶네."

그렇게 말하는 청년의 입가에 새로이 웃음기가 돋아났다. 청년은 힐끗 주방 쪽을 바라보며 천천히 말을 이어나갔다.

"하지만 지금 난 안달이 난 상태라네. 그러니 어쨌든 그게 썩은 동아줄이든, 아니면 가짜 동아줄이든 하늘에서 내려온 거라면 무조건 잡아 보고 싶은 심정인 게지. 그리고 그 동아줄 중의 하나가 바로 저 뚱보 주인장인 게고."

월로는 청년의 마음을 이해한 듯한 차례 고개를 끄덕이고는 더 이상 아무 말도 하지 않았다.

때맞춰 뚱보 주인장이 주방에서 모습을 드러냈다. 그는 온갖 요리가 놓인 두 개의 커다란 쟁반을 묘기라도 부리듯 양손에 들고 뚜벅뚜벅 걸어와 청년의 탁자 위에 내려놓았다.

"이건 꿩국이오. 아마 이 주변에서는 가장 맛있는 꿩국일 게요."

그의 말에 항아가 투덜거리듯 쫑알댔다.

"이 주변이라면 수백 리가 황무지인데 당연히 제일 맛있겠죠. 그러니 뚱보 주인장의 말이 틀리지는 않겠네요."

뚱보 주인장은 서늘한 눈빛으로 항아를 내려다보았다. 항아는 생글거리며 그의 시선을 마주 보았다.

"왜요? 내 얼굴에 뭐라도 묻었나요? 아니면 내게 빠져 들기라도 한 건가요? 왜 그리 바라보는 거죠?"

도발적인 그녀의 말에 뚱보 주인장은 아무 대꾸 없이 시선을 외면했다. 그러고는 쟁반에 담긴 음식과 요리를 탁자 위에 올려놓으며 일일이 설명했다.

"이건 멧돼지 새끼 요리요. 원래 멧돼지는 냄새가 나고 육질이 투박해서 일반 돼지보다 맛이 없지만 이 녀석은 다르오. 한 번도 먹어 보지 못한 사람은 있어도 한 번만 먹은 사람은 없다는 이야기가 있을 정도니까."

"이건 황무지를 개간해서 키운 공생채 무침이오. 의외로 공생채가 황무지의 토양과 잘 어울린다오."

"이건 기러기구이요. 아마 우리 객잔 말고 기러기구이를 하는 곳은 대륙 전역을 통틀어도 없을 것이오. 맛은 닭고기나 오리보다 훨씬 뛰어나오. 아, 그리고 이건 기러기 껍질 튀김이오. 오리 껍질 튀김보다 열 배는 맛있을 거요."

그렇게 뚱보 주인장이 일일이 설명할 때마다 항아는 또 일일이 말참견을 했다.

"멧돼지 새끼라면 주인장과 거의 같은 종족이 아닌가

요? 설마 자신의 아들이나 딸은 아니겠죠?"

"황무지의 토양과 공생채가 잘 어울린다는 건 처음 들어 봐요. 이거, 이곳에서 자란 공생채가 아니라 어디 북경부나 그런 곳에서 사 온 건 아니겠죠?"

"세상에, 기러기구이라니! 기러기구이는 처음 봐요. 왜 처음 볼까요? 세상에 수많은 객잔과 숙수들이 있는데 왜 그들은 기러기를 가지고 요리할 생각을 하지 않았을까요? 맛이 형편없거나 아니면 굳이 기러기를 요리하는 것보다는 오리나 닭을 잡아서 요리하는 게 맛이나 가성비를 따져서 훨씬 낫다고 생각한 게 아닐까요?"

그녀가 말참견을 할 때마다 뚱보 주인장의 안색은 점점 무거워지고 표정도 딱딱하게 굳어졌다. 결국 뚱보 주인장은 도저히 참지 못하겠다는 듯이 퉁명한 목소리로 말했다.

"처음 볼 때는 조신하고 얌전하며 예쁜 것이 꼭 고관대작의 딸처럼 보였는데, 지금 보니 한 마리 길들이지 않은 말처럼 이리 뛰고 저리 뛰는 것이 마치 몽고(蒙古)의 여인인 것 같군그래."

일순 항아의 눈이 휘둥그레졌다.

"어머나. 내가 몽골 사람인 걸 어찌 아셨어요?"

이번에는 뚱보 주인장의 눈이 커졌다.

"음? 진짜 몽고 여인이었나?"

항아가 눈살을 찌푸리며 말했다.

"몽고가 아니라 몽골이라니까요. 따라 해 봐요, 몽골."

원래 몽고(蒙古)의 몽(蒙)에는 우매하다는 뜻이 있었다. 오랜 세월 동안 몽고의 침략과 도발에 시달려 왔던 한족(漢族)은 그렇게라도 몽고를 비하하는 것으로 스스로 위안을 삼아 왔다.

반면 몽골은 간단하게 말해서 '용감한 부족'이라는 몽고어라 할 수 있었다. 즉, 용감한 부족에서 우매한 옛 나라로 격하된 것이니, 정작 몽고 사람들에게는 몽고가 그리 반가운 단어는 아닐 것이다.

대초원의 기상을 이어받은 몽고의 여인들은 대부분 씩씩하고 활달하며 기세가 넘쳐흘렀다.

그건 항아도 마찬가지였다. 겉으로 보면 한없이 여리고 약하며 아름답기만 해 보이지만, 그녀의 몸에는 지난날 세상을 정복했던 성길사한(成吉思汗)의 피가 흐르고 있었다.

뚱보 주인장은 몽고 사람이라는 항아의 말을 듣고는 묘한 감흥에 젖은 듯 잠시 그녀의 얼굴을 내려다보다가, 상념을 떨치려는 것처럼 고개를 휘휘 내저으며 다시 계산대로 돌아갔다.

그 뒷모습을 지켜보던 항아가 싱긋 웃으며 청년을 향해 나지막한 목소리로 말했다.

"벌써 반은 성공했네요. 나를 확실하게 각인시켰으니까 말이에요."

청년은 쓰게 웃었다.

### 3. 나만의 규칙

생각 외였다.

그 커다란 덩치와 투박한 손과 무뚝뚝한 성품에서 이토록 맛있는 음식이 탄생할 수 있다고 어느 누가 생각했을까.

청년은 물론 세상일에 달관한 듯한 월로와 일로도 음식을 맛보면서 연신 감탄했고, 상희와 상의는 물론 심지어 항아까지 놀람과 찬탄을 금치 못했다.

"세상에, 어머나, 어쩜! 어떻게 이리 맛있을 수가 있죠? 설마 주방에 진짜 숙수가 있어서 그가 요리한 건 아니겠죠? 아니, 분명 그럴 거예요. 저 미련곰탱이처럼 생긴 주인장이 이런 맛있는 요리를 내온다는 건 절대 있을 수 없는 일이니까요."

"다 들린다."

계산대 너머에 앉아 있던 뚱보 주인장이 투덜거리며 대꾸했다.

"이 조그만 객잔에 따로 숙수를 고용한다면 그의 월봉

을 어찌 감당할 수 있겠나? 생각 좀 하고 말을 하라고."

"한 끼 식사에 은자 수십 냥씩 받으면 충분히 가능하잖아요? 설마 한 달에 한 번 손님을 받는 것도 아닐 테니까요. 왜 아무 말도 안 하는 건데요? 에? 진짜 한 달에 한 번 손님을 받아요?"

항아가 놀라서 묻자, 뚱보 주인장은 길게 한숨을 쉬며 창밖 스산해 보이는 황무지를 바라보았다.

"그러고 보니까 손님 받은 지가 두 달은 넘었지, 아마? 저 마을에서 한바탕 칼부림이 일어난 이후로는 아예 뚝 끊어졌으니까."

뚱보 주인장의 목소리가 왠지 울먹거리는 듯하다고 느껴진 건 그저 착각이었을지 모른다. 하지만 항아는 왠지 감상적인 기분이 들어 저도 모르게 고개를 끄덕이며 말했다.

"하기야 어지간한 사연이 있지 않다면 결코 이 외지고 쓸쓸하고 우울한 땅까지 찾아오지 않을 테니까요. 우리만 하더라도 뚱보 주인장, 당신을 만나겠다는……."

"말이 많구나, 항아야."

청년이 웃으며 항아의 말을 제지했다. 항아의 얼굴에서 핏기가 사라졌다. 청년은 웃는 낯으로 말했다.

"음식 식겠다. 어여 먹고 이야기해도 될 것 같구나."

그녀는 청년의 눈치를 살피며 헤헤 웃었다.

"죄송해요. 제가 말이 많기는 하죠?"

"알면 됐다. 앞으로 조심만 한다면야 어느 누가 네 혀를 뽑겠느냐?"

항아의 얼굴이 새파랗게 질렸다. 그녀는 이내 고개를 숙인 채 묵묵히 식사하기 시작했다. 청년이 그녀를 대신하듯 웃으며 입을 열었다.

"확실히 음식이 맛있습니다. 지금까지 대륙은 물론 새외 변방 할 것 없이 안 가 본 곳이 없지만, 이렇게 진귀하면서도 맛있는 음식은 손가락에 꼽을 정도입니다. 은자 수십 냥 값은 족히 하는 것 같군요."

대단한 찬사였지만 뚱보 주인장은 마음에 들지 않는 모양이었다.

"손가락에 꼽을 정도밖에 되지 않소? 쳇, 앞으로 더 정진해야겠구려."

"하하, 욕심도 많으십니다. 천하제일이 되지 않으면 좀이라도 쑤시는 성격이신가 봅니다."

"천하제일까지는 아니더라도 누구에게 지고 싶은 마음은 없소이다."

"무공도 그렇습니까?"

청년은 웃는 낯으로 물었고 뚱보 주인장은 멀뚱한 표정으로 대꾸했다.

"그건 또 무슨 개방구 같은 소리."

뚱보 주인장은 어깨를 으쓱거리며 말했다.

"헛소리할 요량이면 그것만 먹고 떠나시오. 따로 돈은 돌려주지 않을 터이니."

"세상에, 그런 못된 심보가 또 어디 있어요?"

식사에 열중하던 항아가 놀란 듯 소리쳤다.

"그렇게 쫓아낼 작정이면 선불로 받은 돈은 돌려줘야 하는 게 세상 이치잖아요? 알고 보니 순 도둑놈이네."

항아는 꽤 흥분한 기색이었지만, 이번에는 청년도 말리지 않고 흥미진진하다는 표정으로 그들의 대화를 지켜보고 있었다.

"세상에는 세상의 이치가 있듯이, 유주에는 유주만의 이치가 따로 있거든. 그리고 유랑객잔에는 나만의 규칙이 있고."

뚱보 주인장은 항아의 욕에 개의치 않고 말했다.

"대금은 무조건 선불. 한 번 받은 대금은 무슨 일이 있더라도 돌려주지 않는다. 주인장 마음에 들지 않으면 손님은 쫓겨나고 두 번 다시 출입할 수가 없다. 뭐, 이 정도가 이곳의 가장 중요한 규칙인 게고."

"세상에 그런 규칙이 어디 있어요?"

"여기, 유랑객잔에."

"누구 마음대로요?"

"주인장인 내 마음대로."

항아는 표독스러운 눈빛으로 뚱보 주인장을 쏘아보았다. 뚱보 주인장은 태평한 얼굴로 그녀를 바라보았다. 항아는 그 능글능글한 얼굴을 노려보며 입을 열었다.

"만약 그 규칙을 거부하겠다면요?"

"얼마나 맞고 싶은데?"

"그렇게 무공에 자신 있나요?"

"무공은 모르겠지만 힘 하나만큼은 자신 있지."

뚱보 주인장은 으쓱거리며 말했다.

"유량객잔을 연 이후로 스스로 강호의 고수라고 했던 녀석들치고 내 주먹 한 방을 견딘 자가 없었으니까."

'사실일까.'

사실일 것이다.

조금 전 도련님과 월로, 일로가 저 누룩돼지 같은 작자가 그 깊이를 짐작할 수 없는 무공을 지닌 가공할 고수라는 이야기를 나눴으니까.

항아는 입술을 깨물며 분을 참고는 조금 누그러뜨린 목소리로 말했다.

"그런데 왜 반말이세요?"

"응?"

느닷없는 질문에 뚱보 주인장은 허를 찔린 표정을 지었다. 항아는 턱을 쳐들며 말했다.

"왜 우리 도련님에게는 존대하시고 제게는 반말이죠?

사람 차별하는 건가요? 아니면 남녀 차별하는 건가요?"

"아……."

뚱보 주인장은 그제야 알겠다는 표정을 짓고는 머쓱한 얼굴로 말했다.

"그건 미안하네."

그는 여전히 반말로 말했다.

"어찌하다 보니 그렇게 되었군그래. 쳇, 손님은 왕이라고 언제나 존대하고 존중하라고 선친께서 늘 말씀하셨는데 말이지. 미안하게 되었네."

"그런데 미안한 줄 알면서도 왜 끝까지 반말이세요?"

"그럼 지금껏 반말했는데 이제 와 존대하리? 그렇게는 하지 못하지, 사내 자존심이라는 게 있는데."

항아는 어이가 없었다.

"아니, 거기에 무슨 사내 자존심이 들어가요? 선친께서도 손님을 왕으로 모셔야 한다고 하셨다면서요?"

"그야 그건 선친의 규칙이었고, 나는 달라. 내 대(代)의 객잔에서는 내가 왕이고 손님은 손님일 뿐이다. 자, 그만."

뚱보 주인장은 손뼉을 쳤다.

손바닥과 손바닥이 부딪치는 순간 짝! 하는 소리가 폭발음처럼 휘몰아쳤다. 그 격렬한 진동에 객잔이 흔들리고 탁자 위의 그릇들이 춤을 췄다.

항아가 놀란 나머지 입을 쩍 벌렸다. 그러나 뚱보 주인장은 아무 일도 없었다는 듯이 말했다.

"이제 쓸데없는 이야기는 그만하고, 술이 더 필요하면 말하시게. 나는 어젯밤 늦게까지 일한 터라 피곤하니까."

뚱보 주인장은 곧바로 계산대에 엎드렸다. 항아는 뭔가 말을 하고 싶은 듯 붉고 조그만 앵두 같은 입술을 달싹거리다가 짧은 한숨만을 토해 내고는 고개를 돌렸다.

문득 그녀는 힐끗 청년을 쳐다보았다. 청년은 웃고 있었다. 하지만 그의 눈은 한없이 무심해서 지금 무슨 생각을 하는지 도저히 짐작할 수가 없었다.

청년은 천천히 술잔을 들어 한 모금 마시고는 감탄하듯 중얼거렸다.

"술도 좋군. 확실히 좋은 객잔이다. 이 좋은 음식과 술을 모두 맛보려면……."

청년은 여전히 뚱보 주인장에게서 시선을 떼지 않은 채로 말을 이었다.

"어쩌면 닷새로 부족할지도 모르겠군그래."

왠지 소름이 끼쳐 항아가 움찔거릴 때였다. 마치 청년의 중얼거림을 들은 것처럼 잠자려 했던 뚱보 주인장이 몸을 일으키며 투덜거렸다.

"한숨 자 두려고 했더니 저놈의 새가 방해하는군. 매인지 독수리인지는 모르겠지만 날 방해한 대가로 오늘 저녁거리가 될 게다, 네놈은."

그렇게 말하며 뚱보 주인장이 몸을 일으키려는 순간이었다. 청년이 쾌활하게 웃으며 말했다.

"아! 아무래도 제 애완용 매인 것 같습니다. 시치미는 달고 있지 않지만 말입니다."

시치미는 기르고 있는 매의 주인이 누구인지 식별할 수 있게 만든 표식이었다. 그래서 가끔 사람들은 다른 사람의 매를 잡아서 그 시치미를 떼고, 주인이 누구인지 모르는 척하기도 했다.

시치미를 뗀다는 말은 그런 유래에서 생겼다.

"그렇소? 그럼 가서 조용히 좀 시키시오. 이 바람을 뚫고 들려오는 저 울음소리 때문에 잠을 이루지 못하겠으니 말이오."

뚱보 주인장은 다시 앉아 제자리에 엎드리고 잠을 청했다.

항아는 고개를 갸웃거리면서 귀를 기울였다. 아무리 집중해도 창밖에서 들려오는 소리는 황량하고 스산한 바람소리뿐이었다.

'아까 손뼉도 그렇고, 진짜 고수였나 보네.'

항아가 새롭다는 눈빛으로 뚱보 주인장을 쳐다볼 때, 월로가 자리에서 일어나며 말했다.

"그럼 쇤네가 다녀오겠습니다."

청년이 고개를 끄덕였다.

"배불리 먹여서 울지 않도록 하게. 주인장이 곤히 주무실 수 있게 말이지."

"그리하겠습니다."

월로는 대청을 가로질러 객잔 밖으로 나갔다. 세찬 바람에 그의 옷자락이 요란한 소리를 내며 펄럭였다.

아직 저녁이 되려면 먼 시각. 하지만 황토처럼 붉은빛 하늘은 희뿌연 먼지로 잔뜩 뒤덮여 있었고, 햇빛은 그 먼지구름에 막혀 보이지 않았다.

그 우중충한 하늘 저 높은 곳에 점 하나가 천천히 선회하고 있는 게 보였다.

월로는 그 점 하나를 쳐다보며 길게 휘파람을 불었다. 음역대가 너무 높아서 사람의 귀에는 들리지 않는 휘파람 소리가 세찬 바람과 먼지구름을 뚫고 하늘 높이 뻗어 올랐다.

허공을 선회하던 점은 그 휘파람 소리에 반응한 듯 이내 쏜살같이 지상으로 하강했다.

그 점은 이내 한 마리의 날렵하고 용맹한 매로 변했으며, 그 맹렬하게 하강하던 기세와는 달리 활짝 들어 올린 월로의 팔에 가볍게 날아내렸다.

"옳지. 잘 찾아왔구나."

월로는 부드러운 목소리로 중얼거리며 매의 머리를 쓰다듬었다. 매는 마치 애교라도 부리듯 월로의 손에 제 몸을 맡기고 비벼 댔다. 월로는 품에서 손바닥만 한 육포

한 점을 꺼내 매에게 먹이며 물었다.

"그래, 무슨 소식을 가지고 왔느냐?"

매는 마치 대답하듯이 낮은 소리로 가볍게 울었고, 월로는 귀를 쫑긋거리면서 연신 고개를 끄덕였다.

"흠, 흠. 그렇구나. 잘 알겠다. 그래, 다른 일은 없고? 그래? 흠, 그러면 됐다. 가만있자, 녀석들은 네 말을 알아들을 리가 없을 테니까……."

마치 사람과 대화를 나누듯 월로는 그렇게 혼잣말을 하더니 다시 품에서 조그만 세필(細筆)과 천을 꺼내 들었다.

그는 천에 무언가를 적은 다음 매의 발목에 매듭을 묶었다. 그러고는 다시 육포 한 점을 꺼내 매에게 먹이면서 다정스레 말했다.

"무리하지 말고, 행여 수상하다고 느끼면 전해 주지 않아도 된다. 무엇보다 네가 안전한 게 우선이니까. 잘 알겠지?"

손바닥만 한 크기의 육포를 다 먹은 매는 구르르, 소리를 내며 다시 몸을 비볐다. 월로는 이곳에 온 이후 처음으로 웃으며 말했다.

"그래. 그럼 피곤하겠지만 잘 부탁한다."

월로가 팔을 높이 들었다. 매는 몇 차례 날갯짓을 하면서 팔을 박차고 허공으로 솟구쳐 날아올랐다.

이내 매는 또다시 하나의 점으로 변했고, 그렇게 바람

과 먼지구름 사이로 사라질 때까지 월로는 하염없이 지켜보았다.

이윽고 매는 시야에서 벗어났다. 월로는 몇 가닥 남지 않은 머리를 긁적이다가 어깨를 축 늘어뜨리고는 몸을 돌렸다. 바람이 그의 등을 억지로 떠밀어 객잔 안으로 집어넣었다.

객잔에 들어선 월로를 보고는 청년이 웃는 낯으로 물었다.

"또 헤어지기 싫어서 운 건 아니겠지?"

월로가 일부러 퉁명스레 대답했다.

"쇤네가 언제 울었다고 그러십니까? 잘 먹여서 돌려보냈습니다."

"그래, 누가 온 게지? 천응(天鷹)? 독응(禿鷹)? 패응(覇鷹)? 아니면……."

"천응이 날아왔습니다."

"호오, 제법 중한 소식이었나 보네. 그래, 무슨 일이 있기라도 한 건가?"

청년의 물음에 월로는 자리에 돌아와 앉으며 입을 빼끔거렸다. 전음입밀(傳音入密)의 수법이었다.

3장.

# 그 이름을 기억하고 있는 자

그러면서 청년은 하나도 숨기지 않고 자신을 온전하게 드러낸다.
모든 걸 가감 없이 내보인다.
자신의 장점은 물론 단점까지도, 일부러 숨기거나 감추지 않는다.
물론 식견 낮은 자에게는 전혀 그것들이 보이지 않겠지만.

## 1. 거목대왕(巨木大王)

“정말 기이한 곳이다.”

청년은 뒷짐을 진 채 밤하늘을 올려다보며 중얼거렸다.

“이렇게나 아름다운 밤하늘이라니…….”

낮에는 강풍과 먼지구름으로 인해 햇빛 한 점 볼 수 없는 하늘이었는데, 놀랍게도 해가 지고 새까만 어둠이 밀려든 한밤중의 하늘에는 수십만 개의 별이 일제히 빛을 발하며 찬란하게 반짝이고 있었다.

“바람이 잦아져서 그럴 뿐이오.”

청년의 혼잣말을 들었는지, 구정물을 버리러 나왔던 뚱

보 주인장이 불쑥 입을 열었다.

청년은 천천히 몸을 돌렸다. 뚱보 주인장은 구석진 곳에 구정물을 버리며 말을 이었다.

"바람이 사라져 먼지들이 가라앉으면 가끔씩 이런 밤하늘의 풍경을 볼 수 있다오. 그래도 한 달에 한두 번 벌어지는 일이니 귀하다면 귀한 풍광일 수도 있겠지."

"그럼 참 때를 잘 맞춰서 찾아온 거로군요. 저는 참 운이 좋은 것 같습니다."

"호들갑이구려. 강호에는 이보다 아름다운 곳이 더 많을 텐데."

"물론 따로 두고 본다면 이보다 아름다운 풍광은 많겠죠. 아니, 확실히 많습니다. 그러나 낮의 그 스산하고 황량하여 마치 지옥도(地獄道)의 한 부분처럼 보이던 광경과 대비되는 이 아름다움은 너무나도 절묘하고 기이해서 그 아름다움이 몇 배나 빛나고 있습니다."

"흠."

뚱보 주인장은 물통을 탈탈 털어서 마지막 구정물까지 모두 버린 후 뒤돌아 청년을 바라보았다. 청년은 세상 모든 여인이 반할 정도로 아름다운 미소를 머금은 채 뚱보 주인장을 쳐다보고 있었다.

뚱보 주인장이 가볍게 눈살을 찌푸리며 말했다.

"내게는 그런 미소 통하지 않소."

"네? 아하하. 이건 누굴 유혹하려고 짓는 미소가 아닙니다. 단지 기분이 좋을 때 절로 나오는 미소일 뿐입니다."

"그런 것치고는 오늘 하루 종일 그 미소를 머금고 있던데?"

"그야 오늘 하루 종일 기분이 좋았으니까요."

청년은 유쾌하게 웃으며 말했다.

"공기는 좋고 바람은 시원하고 밤하늘은 한없이 아름답습니다. 식사는 점심 저녁 모두 맛있게 했고, 술은 달콤하고 향기로우며 목구멍을 타고 넘어가는 감이 매우 좋았습니다. 객잔의 주인장은 항상 툴툴거리지만 그래도 이래저래 불편한 점 없도록 신경 써 주시고 있고요. 어찌 기분이 좋지 않을 수가 있겠습니까?"

"다 돈 때문이오."

뚱보 주인장은 별거 아니라는 투로 말했다.

"금원보까지 받아 챙겼으니 그 값은 해 줘야겠지. 그래서 평소보다 조금 더 실력을 발휘했을 뿐이오. 그것도 내일 아침까지만이오."

"아, 말이 나왔으니 말입니다만 우선 닷새 정도 더 쉬다가 가고 싶습니다. 그때도 이곳 풍경과 생활이 질리지 않는다면 더 묵도록 하고요."

"닷새나? 이런 황량한 곳에서?"

뚱보 주인장은 '도대체 왜?'라는 식의 표정을 지으며 물었다.

"뭐가 볼 게 있다고? 무슨 할 일이 있어서?"

청년이 가만히 웃으며 말했다.

"볼 거야 많죠. 거침없이 휘몰아치는 태풍 같은 바람. 마르다 못해 쩍쩍 갈라진 잔가지들이 데구루루 굴러다니는 황무지. 피어오르는 먼지, 먼지가 일으키는 회오리와 구름. 온종일 보고 있어도 질리지가 않더군요. 그리고 무엇보다 주인장의 그 툴툴거리는 표정과 내 아이들과 다투는 모습이 백미(白眉)라고나 할까요."

뚱보 주인장의 얼굴이 살짝 일그러졌다. 청년은 여전히 미소를 지은 채 말을 이어 나갔다.

"그리고 할 일 말씀입니까? 사실 그동안 꽤 많은 일들을 해 왔습니다. 하루를 일 년처럼 사용하고 일 년을 하루처럼 정신없이 지내다 보니 가끔은 도대체 지금 제가 뭘 하고 있는지 모를 때가 있더군요."

그 말을 들어서였을까. 뚱보 주인장은 청년의 눈가에 맺혀 있는 희미한 그늘을 눈치챌 수가 있었다.

"그래서 이렇게 아무 일도 하지 않고 아무 생각도 하지 않고 아무것도 하지 않은 채 가만히 앉아서 창밖의 저 황량한 황무지를 바라보고 있는 게 너무나도 행복합니다. 온갖 잡다한 상념과 복잡한 고민들로 가득 차 있는 머리를 싹 비워 내고 새로운 활력을 얻기에는 너무나도 좋은 휴식, 아니 휴가라고 생각하고 있습니다."

청년은 유쾌한 표정을 지으며 말을 맺었다. 뚱보 주인장은 가만히 듣다가 고개를 끄덕이며 중얼거렸다.

"그렇기는 하지. 아무 생각 없이 멍청히 있는 것처럼 좋은 휴식이 없다고들 하니까. 물론 그렇게 모든 사념을 온전하게 내려놓고 마음을 텅 비운다는 게 쉽지는 않은 일이지만 말이야."

"그래서 닷새 정도는 그 쉽지 않은 일을 해 보려고 합니다. 어쩌면 그 덕분에 조금 더 제 내밀한 심와(心窩)를 깊게 들여다볼 수 있는 계기를 얻을 수 있을지도 모르니까요."

진지하게 말하던 청년은 웃으며 말을 덧붙였다.

"대신 대금은 전표로 지불할 터이니 양해해 주시기 바랍니다. 여행 중이라 소지하고 있는 금원보와 은원보의 개수에 한계가 있어서 말이죠."

"상관없네."

뚱보 주인장은 언제부터인지 모르게 청년을 향해 말을 놓고 있었다. 청년은 개의치 않은 듯, 아니 외려 그런 뚱보 주인장의 하대가 마음에 든다는 듯이 웃고 있었다.

"뭐 나야 손님이 돈을 쓰겠다면 환영할 일이니까."

그렇게 말한 뚱보 주인장은 문득 눈살을 찌푸리며 밤하

늘을 올려다보았다.

검은 그림자 하나가 미끄러지듯 허공을 활강하여 객잔 이 층의 불 켜진 창으로 스며들었다. 뚱보 주인장이 청년 일행에게 마련해 준 숙소 중 한 곳이었다.

뚱보 주인장은 눈살을 찌푸린 채 말했다.

"낮에는 매가 날아오더니 밤에는 부엉이가 찾아오는군. 이건 뭐, 새들의 집합소로 변한 것 같네."

"부엉이가 아니라 올빼미입니다."

청년이 정정해 주었다.

"이름은 각산아(角山兒)라고 하는 녀석인데, 아주 용맹하고 똘똘하기 이를 데가 없죠."

부엉이는 얼굴이 네모처럼 생겼고 반면 올빼미는 동그랗다. 부엉이와 올빼미 모두 소리 없이 날지만, 올빼미는 날갯짓하는 소리도 들리지 않아서 그야말로 무음(無音) 비행을 한다.

"매는 몰라도 올빼미는 키우기 힘들었을 텐데."

뚱보 주인장이 고개를 갸웃거리며 말했다.

"맹금 중의 맹금이 바로 올빼미나 부엉이인데 말이지. 어찌 그걸 키워서 전서구(傳書鳩)용으로 사용할 생각을 했을까?"

"그건 월로에게 기이한 능력이 있기에 가능한 일입니다."

희한하게도 청년은 스스럼없이 자신의 동료에 관한 이야기를 이 뚱보 주인장에게 늘어놓았다.

"세상에는 우리가 생각하지도 못하는 희한하고 기이한 무공이 많지 않습니까? 동물과 교감하고 통령(通靈)하여 그들과 대화를 나누고 지시를 내릴 수 있는 무공이 바로 그중 하나죠. 월로는 그 무공을 익혔습니다."

"호오, 금수통령술(禽獸通靈大法)이나 천금제령술(千禽制靈術) 같은 거?"

"그렇습니다."

청년은 어깨를 으쓱거리며 말했다.

"지난 몇 년간 뜻한 바가 있어서 새외 변방을 떠돌면서 세상의 광대함을 배웠습니다. 그곳에서 많은 기인이사를 만날 수 있었고, 그러다가 의기투합한 이들이 있어서 함께 뜻을 모으고 동행하게 되었죠. 월로는 그들 중 한 명입니다. 아, 이곳에 온 다른 친구들도 마찬가지이고요."

"여인들은 다 몽고 사람들 같던데……."

"네. 그녀들은 몽고에 갔다가 우연히 알게 되었습니다. 월로와 일로는 묘강(苗疆)에서 사귀게 된 사람들입니다."

"허어. 알고 보니 자네, 의외로 사람을 잘 사귀나 보군 그래."

"의외라니요? 지금 봐도 벌써 주인장과 이렇게 가까워지지 않았습니까?"

"나와?"

뚱보 주인장은 어이가 없다는 듯 빈 물통을 든 손으로 자신을 가리키며 물었다. 청년이 웃으며 고개를 끄덕였다.

"언제부터인가 주인장께서는 제가 말을 놓고 계시더군요. 그게 친해졌다는 증거가 아닐까 생각하는데요."

"으음."

뚱보 주인장은 끄응, 하며 신음을 흘렸다. 그러고 보니 확실히 지금 그는 청년에게 함부로 말을 놓고 있었다.

"왜 그랬을까?"

뚱보 주인장이 고개를 갸웃거리며 중얼거리자 청년은 빙긋 웃으며 대답했다.

"원래 제가 다른 건 좀 부족해도 사람 사귀는 재주 하나는 가지고 있습니다."

"글쎄. 다른 것도 부족해 보이지 않는데."

"아니, 많이 부족합니다. 그래서 조금 더 배우고 알기 위해서, 조금 더 정진하기 위해서 이렇게 새외 변방을 떠돌아다니는 중입니다."

"흠, 재미있는 친구로군."

"칭찬 감사합니다."

"아니, 칭찬은 아닐세. 말 그대로 재미있다는 뜻이니까."

뚱보 주인장은 그렇게 잘라 말한 후, 청년을 물끄러미 바라보며 재차 입을 열었다.

"그래서, 나도 저 월로처럼 자네의 무리에 합류시키고 싶은 겐가?"

"물론 그럴 수만 있다면야 더할 나위가 없습니다."

청년은 씨익 웃으며 말하고는 이내 시무룩한 표정을 지으며 말을 이었다.

"하지만 주인장께서는 한 그루의 거대한 고목과도 같으신 분이라 그게 그리 쉽지 않다는 걸 잘 알고 있습니다."

"고목이라……. 돼지나 곰이라는 소리는 자주 들어 봤는데 고목은 또 처음 들어 보는군."

"그렇습니까? 이상하군요. 제가 보기에는 진짜 그 어떤 바람에도 흔들리지 않는 거목과도 같아 보이는데 말입니다."

"그래. 고목보다는 거목이 낫네."

"하하, 그럼 앞으로 거목대왕(巨木大王)이라는 별호로 칭하겠습니다."

"아니, 그건 또 이상해."

뚱보 주인장은 눈살을 찌푸리며 말했다.

"그냥 평범하게, 그동안 불린 대로 저귀라고 부르게."

"아, 저귀라는 별호가 있으셨습니까?"

청년은 마치 처음 들어 본다는 듯이 말하고는 입안에서 그 별명을 몇 차례 웅얼거렸다. 그러고는 문득 눈빛을 빛내며 뚱보 주인장, 저귀를 바라보았다.

"저귀 하니까 문득 떠오른 건데 수백 년 전 강호에 주인장과 비슷한 체구를 지닌, 또 비슷한 별호를 지닌 살수가 한 명 있지 않았습니까? 살수계의 이단아(異端兒)라던 둔저(鈍猪) 말입니다. 그 살수도 한때 둔저라는 별호 대신 저귀라는 별명으로 불렸다고 하던데요."

"호오. 오래전 이야기를 잘도 아는군그래."

"제 돌아가신 조부께서 그런 고사에 박식하셨거든요. 그분을 통해 백 년 전, 이백 년 전의 옛 무림인들에 대한 전설 같은 이야기를 자주 들었습니다."

"둔저라……."

저귀는 턱을 매만지며 밤하늘을 올려다보았다.

"그 이름을 기억하고 있는 자가 세상에 아직 있다니……."

## 2. 몽상가(夢想家)

저귀는 바로 앞에 서 있던 청년조차 제대로 알아들을 수 없을 정도로 낮고 희미한 목소리로 그렇게 중얼거렸다.

청년은 눈빛을 반짝이며 가만히 저귀가 하는 양을 지켜보았다.

잠시 상념에 젖었던 저귀는 "커험." 하고 아무렇게나 가래침을 뱉고는 다시 청년을 돌아보며 입을 열었다.

"어쨌든 보기보다 욕심이 없나 보군그래. 나를 지인으로 합류시킬 생각이 없다는 걸 보면 말이지."

"아니죠. 욕심은 차고 넘칩니다."

청년은 미소를 지으며 말했다.

"단지 주인장은 내 안에 품을 정도의 그릇이 되지 못할 뿐입니다."

"호오, 과찬인 것 같은데?"

"이래 봬도 사람 보는 안목 하나만큼은 남다르다고 자부하고 있습니다."

"흐음, 사람 사귀는 재주 말고는 다른 건 다 부족하다더니."

"사람 보는 안목도 그 재주에 포함된다고 생각합니다."

"그럴까?"

저귀는 조그만 눈으로 청년을 바라보며 화제를 돌렸다.

"그나저나 그렇게 새외 변방을 돌아다니면서 온갖 기인이사들을 모으다니, 설마 천하라도 움켜쥘 생각인가?"

"솔직히 말씀드리자면 그건 부수적인 일입니다. 사실 제 욕심은 다른 데 있습니다."

"다른 데라면?"

"음, 말씀드리기 부끄럽습니다만……."

잠시 망설이던 청년은 "에잇." 하고 웃었다.

"뭐, 예까지 와서 부끄럼을 타는 것도 우스운 일이니까요. 저는 제 앞에 아무도 없고, 제 뒤에 아무도 없는 존재가 되고 싶습니다."

"응?"

의외의 말에 저귀의 눈이 휘둥그레졌다.

"뭔가, 그건? 앞뒤로 아무도 없다니, 즉 고래(古來)로 자네만 한 인물이 없고 미래에도 자네를 쫓아올 인재가 없는, 그런 유일무이한 존재가 되고 싶다는 겐가? 설마 천상천하(天上天下) 유아독존(唯我獨尊)이라도 외치고 싶은 건가?"

"하하하."

청년은 쑥스럽다는 듯이 웃으며 말했다.

"그래서 말씀드렸잖습니까? 욕심은 차고 넘친다고요."

"흐음."

저귀는 가만히 청년을 지켜보았다. 청년은 머쓱한 표정을 지으며 말했다.

"뭐, 구체적으로 말씀드리자면 세력은 성길사한보다 크고 무공은 장삼봉 조사를 앞서고 인품은 달마 조사를 뛰어넘고 싶다, 이런 허황한 꿈을 꾸고 있습니다. 간단하게 말하자면 몽상가(夢想家)라고 할 수 있겠네요."

"몽상가라."

몽상가는 말 그대로 꿈 같은 헛된 생각을 즐겨 하는 사람이라는 뜻이었으니, 지금 눈앞의 청년에게 아주 딱 어울리는 단어였다.

"몽상가라……."

다시 한번 그 단어를 읊조린 저귀는 가볍게 고개를 끄덕이며 말했다.

"다른 건 몰라도 그 이름 하나는 똑똑하게 기억해 두겠네. 그리고 과연 몽상가의 행보가 어떻게 펼쳐질지도 기대하며 지켜보겠네."

"감사합니다. 그저 헛된 꿈을 꾸는 애송이라고 비웃거나 조롱하지 않는 것만으로도 충분히 감사한 일입니다."

청년은 그렇게 말하며 살짝 고개를 숙였다. 저귀는 그런 그를 뒤로하고 객잔 안으로 들어서려다가 문득 생각났다는 듯이 돌아보며 입을 열었다.

"아, 그런데 말일세."

청년은 그때까지 고개를 숙이고 있다가 활짝 웃으며 말했다.

"네, 말씀하십시오."

"자네의 월로에게는 금수와 대화를 나누는 재주가 있다고 했는데."

"그렇습니다."

"그럼 다른 친구들에겐 어떤 재주가 있을까?"

"궁금하십니까?"

"그래. 갑자기 궁금해졌네."

저귀의 말에 청년은 문득 짓궂은 표정을 지으며 말했다.

"그럼 제가 가르쳐 드리면 숙박비를 깎아 주실 수 있습니까?"

일순 저귀의 얼굴이 살짝 일그러졌다.

"됐네. 관두세."

저귀는 손사래를 치며 다시 몸을 돌렸다.

"하하하."

청년의 유쾌한 웃음소리는 저귀가 문을 닫고 객잔 안으로 들어설 때까지 들려왔다.

실내는 텅 비어 있었다.

저녁 식사를 마친 여인들과 노인들은 곧바로 이 층 자신들의 숙소로 올라갔다. 조금 전까지만 하더라도 왁자지껄 떠들썩하던 대청은 을씨년스러운 기운까지 돌고 있었다.

저귀는 물통을 아무렇게나 던져 놓고 계산대로 가 끄응, 하며 주저앉았다. 그의 얼굴은 뭔가 오묘한 기색이 스며들고 있었다.

묘한 놈이다.

저귀는 아직도 객잔 밖에 홀로 서서 밤하늘을 감상하고 있는 청년을 떠올리며 그렇게 생각했다.

'참 묘한 놈이다. 악인(惡人)인 것 같으면서도 어린아이처럼 순수하다. 아니, 어쩌면 악인이니 선인(善人)이니 하는 세상의 구분은 그에게 통하지 않는지도 모른다.'

청년에게 있어서 세상의 구분은 중요하지 않아 보았다. 오로지 자신의 주관으로 모든 걸 구분하고 갈랐다.

자신이 악인인지 선한 사람인지가 중요한 게 아니라, 그의 상대가 자신에게 해(害)가 되는지 이익이 되는지가 더 우선인 것이다.

즉, 세상은 그를 중심으로 돌아가고 있는 게다. 세상의 중심이 바로 그였다.

그러면서 청년은 하나도 숨기지 않고 자신을 온전하게 드러낸다. 모든 걸 가감 없이 내보인다. 자신의 장점은 물론 단점까지도, 일부러 숨기거나 감추지 않는다.

물론 식견 낮은 자에게는 전혀 그것들이 보이지 않겠지만.

'그만큼 자신이 있다는 거겠지.'

전무후무한 자가 되겠다는 야망을 지닌 만큼 스스로에 대한 자신감이 넘쳐흐르는 자였다.

그래서 재미있는 녀석이었다. 그렇게 자신만만한 녀석이 저귀의 하대에 그렇게 기뻐하고 감격하는 걸 보면.

'역시 내게 뭔가를 원하는 게 분명하다.'

저귀는 그런 생각을 하다가 문득 고개를 갸웃거렸다.

'가만있자.'

그 청년이 낮에 했던 말이 떠오른 것이다. 당시만 하더라도 그냥 무심코 지나쳤던 이야기.

—벗의 행적을 좇다가 우연히 알게 되었습니다.

'벗이라…….'

저귀의 조그만 눈이 반짝였다.

지난 몇 년 동안 이 유랑객잔을 찾은 손님은 그리 많지 않았다. 이미 죽은 자들까지 모두 합쳐도 백 명이 채 되지 않았다.

그렇게 적은 수의 사람 중에서 저 묘하고 재미있으며 광오할 정도로 자신감 넘치는 청년이 스스로 '벗'이라 부를 수 있는 사람은 과연 몇이나 될까.

'글쎄, 아무리 많아도 손가락 안에 꼽을 수 있겠지.'

저귀는 곰곰이 지난 몇 년간 이곳을 찾았던 손님들을 떠올리기 시작했다.

* * *

한동안 홀로 황무지의 밤하늘을 감상하던 청년은 이윽

고 객잔 안으로 들어섰다.

저귀의 모습은 보이지 않았다. 대신 설거지라도 하는 듯 주방에서 요란한 소리가 들려왔다.

'아, 저녁 식사도 정말 훌륭했지.'

청년은 이 층 계단을 오르며 고개를 끄덕였다.

저녁에는 양을 통째로 구운 요리가 식탁 위에 올라왔다.

일반적으로 소나 돼지와 달리 어린 양을 제외한 양은 특유의 냄새가 심했다. 향신료와 향채를 사용하여 어떻게 그 냄새를 잡느냐에 따라 일류 숙수인지 아닌지가 판가름 났다.

그런 의미에서 보자면 저귀는 특급 숙수였다.

어떤 향채와 향신료를 또 어떻게 사용했는지는 모르지만 양구이는 냄새가 전혀 나지 않았으며 고기의 식감은 쫄깃하면서도 부드러웠다.

또 어떻게 구웠는지 육즙이 고스란히 갇혀 있어서 고기를 한 번 베어 물면 입안에서 육즙이 흥건하게 터져 나왔다. 거기에 장작불로 구운 특유의 불맛까지 합쳐져 그야말로 코와 입, 그리고 눈까지 모두 만족하게 만든 요리였다.

'한 번 더 먹어 보고 싶은 요리다.'

청년은 입맛을 다시며 이 층 복도를 따라 걸음을 옮겼

다. 그가 불빛이 희미하게 새어 나오는 문을 열고 안으로 들어설 때는, 마침 방 안에 있던 월로가 창밖으로 올빼미 한 마리를 날려 보내던 참이었다.

"무슨 전갈이더냐?"

청년은 탁자에 앉으며 물었다. 월로는 창밖 어두운 밤하늘로 사라지는 올빼미를 지켜보며 말했다.

"악양의 구미호가 당했다는 소식입니다."

청년은 탁자에 놓여 있던 차를 따르며 무심하게 물었다.

"누구에게?"

"정체를 알 수 없는 다섯 명의 괴한이라고 합니다."

"다섯 명의 괴한?"

청년의 눈가에 희미한 떨림이 일었다.

공교로운 일이었다. 청년은 다섯 명이라는 숫자에 유독 민감한 편이었다.

올빼미가 아무 문제 없이 밤하늘 저편으로 사라지는 걸 확인한 월로는 탁자로 돌아와 앉으며 말을 이었다.

"그 다섯 괴한 때문에 악양부가 발칵 뒤집혔다고 합니다. 금해가와 태극천맹까지 난리가 난 것 같습니다."

"그들은 또 왜?"

"다섯 괴한과 싸우다가 몇 명의 태극천맹 원로들이 죽거나 중상을 입은 것 같습니다."

"으음."

청년의 눈가가 씰룩거렸다.

역시 아무래도 신경이 쓰일 수밖에 없었다. 태극천맹 원로를 죽이고 중상을 입힐 정도의 실력을 지닌 다섯 명의 괴한.

청년은 그런 실력을 지닌 다섯 명을 잘 알고 있었다.

"설마 그들은 아니겠지?"

청년의 물음에 월로가 대답했다.

"아닌 것 같습니다. 그중에는 여자도 있다고 하니까요."

"그래?"

청년의 입에서 저도 모르게 한숨이 흘러나왔다. 안도의 한숨이었을까, 아쉬움의 탄식이었을까. 그건 청년 본인조차 알지 못하는 일이었다.

방의 구조는 단출했다. 가운데 원형의 탁자를 두고 양쪽 벽으로 이 층 침상이 놓여 있었다. 몸을 뒤적거리다가 자칫 균형을 잃고 떨어질 수 있을 정도로 좁은 침상이었다.

그게 전부인 방에 월로와 청년은 탁자에 앉아 있었고, 일로는 오른쪽 이 층 침상에 누워 있었다.

월로가 물었다.

"교룡회는 버리시겠습니까?"

"아니다."

청년은 가볍게 고개를 저으며 말했다.

"구미호가 당했다고 해서 버리기에는 그간 들어간 노력이 너무 아까운 조직이지. 구미호 대신 다른 녀석을 골라서 그 자리에 앉히고, 다시 조직을 재정비하는 게 낫다."

"하긴…… 구미호는 너무 욕심을 냈습니다."

"욕심은 많은 게 좋지. 단, 자신의 능력과 그릇을 과신하지 않은 상태에서 말이지."

그렇게 말한 청년은 묵묵히 차를 마시다가 문득 생각났다는 듯이 재차 입을 열었다.

"그럼 악양부의 황계는 어찌하고 있다더냐?"

"그게…… 몰살한 모양입니다."

"몰살?"

청년의 눈이 커졌다.

월로는 올빼미가 가지고 온 이야기를 처음부터 제대로 이야기하기 시작했다.

마치 올빼미가 악양부에서 모든 상황을 지켜보고 전해 준 듯이, 놀랍게도 그 이야기는 그곳에서 일어났던 사실과 한 점 다른 부분이 없었다.

"역시……."

청년은 의미심장한 표정을 지으며 고개를 끄덕였다.

'그 다섯 괴한은 무림오적과 연관이 있는 자들이다.'

여자가 끼어 있다고 했던가?

어쩌면 그녀는 담우천의 아내인 나찰염요일 수도, 화군악의 아내인 정소흔일 수도, 장예추의 당혜혜일 수도 있었다. 그러니 여인에 너무 현혹될 필요는 없었다.

올빼미가 전해 온 이야기 중에서 중요한 건 태극천맹 원로들을 죽일 정도의 실력을 지녔다는 것과 그들이 악양의 황계가 마련한 안가에 은신하고 있다는 사실이었다.

'훗, 바쁘군그래.'

청년의 입가에 미소가 스며들었다.

'무적가와 철목가, 그리고 이번에는 금해가라니.'

청년은 그 다섯 괴한이 악양부로 온 목적을 오해하고 있었다.

"뭐, 어쨌든."

청년은 피곤한 듯 기지개를 켜며 말했다.

"아직은 그들과 마주칠 때가 아니니, 그저 그들이 어떻게 저 오대가문과 태극천맹에 맞서 싸우는지 가만히 지켜볼 뿐이다. 나는 지금……."

청년은 문득 한 명의 뚱뚱하고 거대한 체구를 지닌 중년 사내를 떠올리며 중얼거렸다.

"저귀를 상대하는 것만으로도 벅찬 상황이니까."

### 3. 새우 싸움

설거지를 끝내고 문단속을 마친 저귀는 계산대 위의 등잔불을 들고 주방에서 뒷문으로 이어지는 복도를 따라 걸음을 옮겼다.

창고와 주방 사이의 조그만 문, 그 문 안에 저귀의 거처가 있었다. 옷장과 이불장, 그리고 조그만 책장이 한쪽 벽을 따라 나란히 늘어서 있었고, 실내 중앙에는 조그만 차탁이 놓여 있었으며 창가 쪽으로는 놀랍게도 돌로 만든 침상이 단단하게 버티고 있었다.

저귀는 차탁 위에 등잔불을 올려놓은 후 천천히 웃옷과 바지를 벗었다.

뚱뚱하고 거대한 그의 몸은 근육 한 점 보이지 않았다. 하지만 언뜻 보면 지방 덩어리에 불과해 보이는 그의 피부 저 안쪽에는 그 누구보다도 단단하고 거대한 근육들이 숨어 있었다.

더욱더 놀라운 건 일개 객잔의 주인장이라고 하기에는 도저히 믿어지지 않을 정도로 그의 전신에는 온갖 흉터가 새겨져 있다는 점이었다. 칼과 검에 의해 새겨진 흉터는 물론, 맹수들의 발톱이나 엄니에 의해 만들어진 흉터도 있었다.

저귀는 태연하게 옷을 갈아입은 다음 돌침상에 누워 이

불을 덮었다. 그리고 차탁 위의 등잔불을 향해 가늘고 긴 호흡을 내뿜었다. 일순 등잔불은 꺼졌고 실내는 어두워졌다.

유랑객잔 주인장의 일과가 끝나는 순간이었다.

멀리서 늑대의 울음소리가 들려왔다. 잃어버린 짝을 찾는 듯, 구슬프고 애절한 울음소리였다.

바람도 창문을 두드렸다. 마치 덧문으로 꽉 닫은 창문을 두드리며 안으로 들여보내 달라고 호소하는 것만 같았다.

저귀는 늘 그래 왔듯이 그런 황야의 소리를 자장가 삼아 천천히 잠들었다.

얼마나 시간이 흘렀을까.

문득 저귀는 잠에서 깼다. 비몽사몽 중에 저귀는 무엇인가가 자신의 몸 위로 기어 다니는 듯한 감촉을 느꼈다.

'뱀?'

처음 든 생각은 바로 그것이었다. 뱀처럼 미끄러우면서 부드러운 것이 저귀의 통나무처럼 단단한 가슴을 파고들었다.

하지만 저귀는 곧 생각을 바꿨다. 뱀이라고 하기에는 너무나도 따뜻하고 부드러우며 은밀한 동작이었기 때문이었다.

그 무언가는 저귀의 가슴을 따라 천천히 밑으로 내려가

배를 쓰다듬었다. 그 무언가는 저귀의 배에 난 무성한 털을 쓰다듬고 어루만지다가 바지 속으로 쑥 들어왔다.

"거기까지."

저귀는 나지막한 목소리로 말했다. 바지 속으로 파고들던 무언가가 움찔거리며 멈췄다. 저귀는 여전히 눈을 감은 채 무뚝뚝한 목소리로 말했다.

"게서 더 움직이면 손이 잘려 나갈 줄 알아라."

알고 보니 뱀처럼 영활하게 움직이던 무언가는 바로 여인의 한없이 부드럽고 가녀리며 따스한 손길이었던 것이다.

"언제 깨셨어요?"

여인의 나긋나긋한 음성이 저귀의 귓가로 스며들었다. 저귀는 퉁명하게 말했다.

"자네가 방을 열고 들어설 때."

"거짓말."

여인이 소곤거렸다.

"내가 방으로 들어왔을 때는 코를 드르렁거리며 잠들어 있었는데요."

"낯선 침입자를 속이려고 일부러 그런 거다."

"거짓말."

여인은 혀를 내밀어 저귀의 귓불을 핥으며 속살거렸다.

"낯선 침입자라니, 벌써 내가 누구인지 알고 있잖아요?"

"지금이야 알지. 하지만 그때는 몰랐거든."

"그럼 내가 누굴까요?"

여인은 다른 한 손으로 저귀의 눈을 가리며 살짝 웃었다. 저귀는 당연하다는 듯이 말했다.

"상희."

일순, 여인의 몸이 움찔거리는 게 느껴졌다. 저귀는 한숨을 쉬며 말을 이었다.

"사람마다 냄새와 감촉, 목소리와 풍기는 기세가 모두 다르지. 자네의 감촉이야 이번이 처음이지만 냄새만큼은 지겹도록 맡았으니까."

"나한테 냄새가 나나요?"

"물론. 밝은 햇빛과도 같은 냄새, 청량한 공기와도 같은 향기, 금방이라도 터질 것처럼 완연하게 익은 과일과도 같은 냄새. 그게 자네의 냄새거든."

여인이 코를 킁킁거리는 소리가 들렸다. 아마도 제 몸에서 그런 냄새가 나는지 확인하는 것 같았다. 뒤이어 그녀의 부드러운 목소리가 들려왔다.

"와아. 나는 전혀 느끼지 못하겠는데."

"원래 자기 냄새는 잘 못 맡는 법이니까."

저귀는 무뚝뚝하게 말했다.

"어쨌든 장난은 여기까지다. 그만하고 돌아가서 자거라."

"싫다면요?"

"나는 여자라고 해서 봐주는 사람이 아니다."

저귀의 목소리에서 비릿한 냄새가 풍겼다.

비록 자신의 냄새는 맡지 못할지언정 저귀의 말에서 비릿하게 풍기는 희미한 살기는 느낄 수 있었는지, 여인은 조심스레 침상에서 몸을 일으켰다. 벌거벗은 몸 위로 옷을 걸치는지 부스럭거리는 소리가 들렸다.

저귀는 여인이 손을 뗐음에도 불구하고 눈을 뜨지 않은 채 묵묵히 기다렸다. 이윽고 옷을 다 입은 여인은 다시 다가와 저귀의 뺨에 가볍게 입을 맞췄다. 그러고는 밝은 목소리로 속삭였다.

"오늘은 아닌 것 같네요. 대신 다음을 기대하세요, 내 아므락."

달콤하기 그지없는 말을 속삭인 여인은 이내 몸을 일으키더니 방을 가로질러 빠져나갔다. 향긋한 과일 향기가 아지랑이처럼 피어올랐다가 사라졌다.

"이런."

저귀는 길게 한숨을 내쉬었다.

'하마터면 큰일 날 뻔했다.'

저귀는 고개를 설레설레 흔들며 속으로 중얼거렸다.

'아무리 부주의했다고는 하지만 그녀가 내 방에 들어와

이렇게까지 가까이 다가올 동안 전혀 눈치를 채지 못했다니, 아무래도 요즘 수련이 부족한 모양이다.'

저귀는 그렇게 자책하다가 문득 고개를 갸웃거렸다.

'어쩌면 상희라는 여인의 재주는 바로 이것인지도…….'

월로의 재주가 동물과 소통하는 것이라면 상희는 은잠술에 특화된 재주를 지니고 있을지도 몰랐다.

냄새와 기척을 지우고 호흡과 기세를 숨긴 채 목표한 대상을 향해 소리 없이 다가가 죽이는 재주.

"허어, 이거 참."

저귀는 입맛을 다시다가 이불을 덮고 잠을 청했다.

하지만 조금 전과는 달리 이리저리 뒤척거리다가 꽤 힘들게 잠들려는 순간, 저귀는 방문이 열리는 희미한 소리에 다시 잠을 깨고 말았다.

'이번에는 또 뭐냐?'

저귀는 천천히, 그리고 길게 코로 숨을 들이마시며 불청객의 냄새를 파악했다.

이번에도 초원의 풋풋한 들풀 냄새가 났다. 시원한 바람과 맑은 공기 속에서 열심히 자란 건강하고 튼튼한 향기였다.

마치 한 마리 강인하고 날렵한 말과 같은 느낌. 부드러움 속에 숨겨진 탄탄한 근육질의 몸매가 떠오르는 순간, 저귀는 두 번째 불청객의 정체를 알아냈다.

'상의로구나.'

문을 열고 들어선 그녀는 잠시 방 안을 살피며 저귀가 잠들어 있는지 확인했다.

저귀의 숨소리가 낮고 호흡이 일정한 걸 확인한 그녀는 다시 조심스레 문을 닫고 저귀를 향해 고양이처럼 살금살금 다가왔다.

저귀는 그녀가 무슨 짓을 하려는지 가만히 지켜보았다.

돌침상 가까이 다가온 상의는 가만히 저귀를 내려다보았다.

스르륵.

매미가 허물을 벗는 듯한 소리에 저귀는 저도 모르게 한숨을 쉬었다.

'너도냐?'

도대체 무슨 일이 벌어지고 있는 걸까. 그야말로 생전 처음 겪는 일이었다.

물론 지금껏 이 유랑객잔에 들른 여인이 없지는 않았다. 하지만 그녀들 중 누구 하나 이렇게 적극적으로 저귀를 향해 덤벼드는 여인은 없었다.

객관적으로, 그리고 주관적으로도 저귀는 자신이 그렇게 매력 넘치는 사내가 아니라는 걸 너무나도 잘 알고 있었다.

분명 무언가 알 수 없는 계략이 이 적극적인 여인들의 뒤에 숨어 있었다. 그렇지 않고서야 이토록 아름답고 매력적인 젊은 여인들이 앞다퉈 그를 덮치지 않을 테니까.

저귀가 그런 생각을 하는 동안, 상의는 빠르게 옷을 벗고 저귀 위에 몸을 실었다. 그녀의 벌거벗은 몸뚱어리의 감촉이 고스란히 저귀의 몸에 전달되었다.

저귀가 눈을 감은 채 말했다.

"그만하자."

그러나 상의는 말없이 힘으로 저귀를 찍어 눌렀다.

"그만하라니까."

저귀가 손을 들어 그녀의 팔을 잡고 밀쳐 내려 했다.

"으응?"

일순 저귀는 깜짝 놀라고 말았다.

믿을 수 없는 일이었다.

그가 상의의 팔을 잡는 순간, 감당한 수 없는 힘이 그녀의 팔에서, 다리에서 쏟아져 나왔다.

순간적으로 저귀는 그녀에 의해 제압당하고 옴짝달싹도 하지 못한 채 마치 강간당하기 직전의 여인과도 같은 처지가 되고 말았다.

저귀조차 꼼짝하지 못하게 만드는 막강한 완력.

그녀의 거친 숨이 저귀의 입가로 다가왔다.

저귀는 완강하게 반항하려 했다. 있는 힘을 다해 그녀

를 밀쳐 내려고 했다. 하지만 상의의 두 손에 잡힌 손목은 움직이지 않았고, 그녀의 두 다리에 묶인 저귀의 하체는 꼼짝도 하지 못했다.

'웬 계집의 힘이 이리도 세냐?'

저귀는 놀라 눈을 부릅떴다. 한없이 아름다운 상의의 얼굴이 거기에 있었다. 그녀는 거친 숨을 몰아쉬며 나지막하게 중얼거렸다.

"움직이면 다쳐. 가만히 있어. 금방 끝날 테니까."

저귀는 어이가 없었다.

이건 뭐랄까, 계집을 강간하는 사내들의 전매특허와 같은 협박이 아닌가.

졸지에 계집이 되어 버린 저귀는 어처구니가 없다 못해 당황스럽기까지 했다.

"왜, 왜 이러느냐? 말로 하자. 말로 해도 충분히 알아듣는다."

그의 입에서 저도 모르게 비굴한 내용의 말이 흘러나온 건 바로 그 때문이리라.

상의는 거친 호흡을 토해 내며 말했다.

"너랑 사귀는 거 아니다. 그냥 너와 하룻밤 자려는 것뿐이다. 그래야 내가 수정옥을 차지하니까."

상의는 한 손으로 저귀의 두 손을 묶듯이 잡고는 다른 한 손으로 그의 아랫도리를 벗기며 말을 이었다.

"오해하지 마. 너는 내 취향이 아니니까."

'이런.'

저귀는 내심 한숨을 쉬었다.

도대체 어떻게 흘러가는 영문인지 조금은 알 것 같았다. 그 몽상가 자식이 수정옥이라는 걸 상품으로 하고 내기를 건 모양이었다. 세 여인은 그 내기에 응했고, 그래서 자신이 이렇게 볼품없는 꼴이 된 게 분명했다.

"그만해라."

저귀는 호흡을 가다듬으며 나지막하게 말했다.

"다치게 하기는 싫으니까."

저귀는 천천히 그녀를 밀어냈다. 일순 상의의 눈에 당황한 기색이 역력했다.

그녀는 발버둥을 치며 어떻게든 저귀를 누르려고 했지만 소용이 없었다. 결국 그녀는 저귀의 강대한 힘을 이겨내지 못하고 침상 밖으로 나가떨어졌다.

저귀는 몸을 일으키며 말했다.

"여인치고는 정말 힘이 세구나. 어쩌면 지금껏 단 한 번도 사내들에게 지지 않았을지도 몰라. 그리고 그게 네 재주인지도 모르겠지."

저귀는 어안이 벙벙한 눈길로 자신을 쳐다보는 상의를 마주 보며 말을 이어 나갔다.

"하지만 나는 다르거든. 다른 건 몰라도 힘 하나만큼은 미련한 정도로 세니까."

상의는 입술을 깨물며 저귀를 노려보다가 불쑥 말했다.

"제대로 먹지 않아서 그런 거다."

그녀는 벌떡 몸을 일으켜 섰다. 눈부실 정도로 아름답고 탄력이 넘치는 그녀의 나신이 저귀의 시야 가득 들어왔다. 그녀는 전혀 부끄러워하지 않은 채 허리춤에 팔을 얹으며 말했다.

"내일 다시 온다. 그때는 내가 이길 거야."

다른 두 여인과는 다른, 짧은 말투.

저귀는 왠지 그녀가 귀엽다고 느껴졌다.

그래서였다. 그는 고개를 끄덕이며 말했다.

"좋아, 도전은 언제든지 받아 주지."

"그 말, 똑똑히 기억해라."

상의는 벗는 속도보다 빠르게 옷을 입은 후 방을 빠져나갔다.

저귀는 고개를 내저었다.

순서대로라면 이제는 항아가 기습을 해 올 차례였다. 어쩌면 오늘 밤 단 한숨도 자지 못할지도 모른다.

'젠장. 내게 무슨 감정이 있어서 그러느냐, 몽상가.'

저귀는 투덜거리다가 문득 아직도 그 청년의 이름을 알지 못한다는 사실을 그제야 깨달았다.

'뭐, 이름이 중요한 건 아니니까.'

중요한 건 아마도 그들이 묵는 닷새 동안, 그리고 누군가 내기의 승리를 거두지 않는 한 계속해서 이렇게 세 여인의 공세가 이어질 거라는 사실이었다.

저귀는 다시 투덜거리며 자리에 누웠다.

그때였다. 살그머니 문이 열리고 한 명의 여인이 다시 방 안으로 걸어 들어왔다.

저귀의 얼굴이 찌푸려졌다.

그의 예측대로, 여인이 방에 들어선 순간 항아의 향기가 방 안 가득 스며들고 있었다.

'닷새란 말이지.'

저귀의 한숨이 깊어졌다.

4장.

# 나도 이제는 늙었으니까

'그럼 순서는 정해졌군.'
왕윤은 희미하게 웃었다.
'늙은이를 암살한 다음 바로 몸을 돌려서
계집의 목을 베고는 사내의 혈도를 제압한다. 그리고…….'

## 나도 이제는 늙었으니까

### 1. 좋은 사람이다

“하룻밤 사이에 얼굴이 많이 상하신 것 같습니다. 피곤하신가 보네요.”

제일 먼저 일어나 홀로 대청 창가 탁자에 앉아서 느긋하게 차를 마시며 창밖 황무지 풍경을 감상하던 청년은 어슬렁거리며 걸어 나온 저귀를 향해 그렇게 말하며 웃었다.

막 잠에서 깬 듯 헝클어진 머리에 부스스한 몰골로 복도를 따라 나온 저귀는 늘어지게 하품을 하며 투덜거렸다.

“이게 모두 자네 때문이지 않은가?”

청년은 눈을 동그랗게 뜨며 되물었다.

"저 때문이라니요?"

"자네가 쓸데없는 내기를 하는 바람에 나만 고생하고 있다는 소리일세."

"아."

그제야 청년은 무슨 소리인지 알겠다는 듯 빙긋 웃으며 고개를 끄덕였다.

"그 아이들이 주인장의 침소에 들락날락했나 보군요."

"그래, 밤새 동안."

저귀는 졸린 눈을 비비며 말했다.

"번갈아 가면서 한 명씩, 일부러 그러는 것처럼 잠이 들려고 할 때마다 문을 열고 들어와서 온갖 희롱을 하려 하더군."

"고약한 녀석들이네요."

청년이 혀를 차며 말했다.

"주인장이 밤잠을 설치게 되면 우리가 제대로 맛있는 식사를 하지 못할 수도 있는데 말입니다."

"아니, 그게 문제인가?"

"제게는 큰 문제죠. 음식이라도 맛있어야 이곳에서 버틸 수 있으니까요."

"그러지 말고 그냥 가게나."

"선불을 냈잖습니까, 어제 저녁 식사 때. 설마 그때 하신 약속 잊으신 건 아니겠죠? 닷새 치 선불을 받는 대신 절대 주인장 마음대로 쫓아내지 못한다고 말입니다."

"젠장, 지금 생각하면 은자 오천 냥 가지고 내가 너무 욕심을 부린 것 같군그래."

"하하. 원래 욕심이 발목을 잡는 법이죠. 그래서 늘 조심하고 경계해야 합니다."

"자네는 그 욕심이 차고 넘친다면서?"

"네. 그래서 걸려 넘어지지 않도록 매번 조심하고 또 주의합니다. 게다가 제게는 아주 훌륭한 조력자들이 있어서, 행여 제가 분에 넘치는 욕심을 부리려 할 때면 언제든지 나서서 만류해 주거든요."

"쳇. 내게는 그런 조력자가 없네."

"이참에 조력자를 곁에 두는 건 어떻겠습니까? 향아나 상희, 상의 모두 나름대로 훌륭한 조력자라고 할 수 있는데요. 그녀들 중 한 명, 아니 세 명을 다 거둬들여도 상관하지 않겠습니다."

"됐네."

저귀는 눈살을 찌푸리며 말했다.

"그 요망한 것들과 있느니 차라리 절에 들어가 중이 되겠네."

그때였다.

"요망하다는 게 무슨 뜻이에요?"

항아가 이 층 계단을 따라 걸어 내려오면서 물었다. 저귀는 한숨을 쉬고는 서둘러 주방 쪽으로 걸어가며 말했다.

"아침은 사천식 매운 국일세."

청년이 웃으며 대꾸했다.

"밤에 좀 추웠는데 아주 딱 맞는 음식입니다."

대청으로 내려온 항아는 청년의 맞은편 자리로 걸어와 앉으며 투덜거렸다.

"한족(漢族) 말은 정말 어렵다니까요. 아직도 모르는 단어가 몇 수레나 되는 것 같아요. 그나저나 요망인지 유망인지, 그게 무슨 뜻이죠?"

청년이 웃었다.

"네가 마음에 들었다는 뜻이다."

"헤에. 그렇죠?"

항아는 어깨를 으쓱거리며 말했다.

"역시 어제 일부러 툴툴거리면서 티격태격 싸운 게 좋은 작전이었다니까요. 그렇게 소소한 것부터 정이 들어야만 비로소 서로 마음이 오가고 그러는 거죠. 언니들처럼 무작정 몸으로 들이밀면 될 것도 안 된다고요. 저 뚱보 주인장은 결코 평범한 사내가 아니니까요."

"흠, 너도 주인장이 평범하지 않다고 생각하느냐?"

"물론이죠. 무엇보다 총…… 아니, 도련님께서 그를 두고 평범하지 않다고 여기니까요.”

“흐음. 그건 그렇고, 정말 너는 말조심해야겠구나. 매번 나를 부를 때마다 그렇게 헷갈려 하면 어찌하느냐?”

“죄송해요. 몽골에서 부르던 습관이 아직 남아 있어서 그만……. 금방 고칠게요.”

항아는 혀를 내밀며 장난꾸러기처럼 웃었다. 청년은 당해 낼 수 없다는 듯이 피식 웃었다. 항아는 그런 청년의 표정을 보고 용기를 얻었는지 다시 입을 열어 질문을 던졌다.

“그나저나 도련님은 닷새 안에 원하는 걸 얻으실 것 같으세요?”

“글쎄다.”

청년은 이미 식은 차를 한 모금 마신 후 입을 열었다.

“저 주인장의 성격을 보건대 어쩌면 열흘, 아니 보름은 있어야 할지도 모르겠구나.”

“그럼 우리 내기의 기한도 도련님을 따라가기로 하죠. 도련님이 원하는 걸 얻기 전에 우리가 먼저 주인장을 굴복시키느냐 그렇지 못하느냐 하는 걸로요.”

“흠. 닷새, 아니 이제 나흘이구나. 나흘로 부족하다는 걸 느꼈나 보구나.”

“뭐, 저 주인장의 성격을 보건대 어쩌면 그럴지도 모르겠다는 생각이 들어서요.”

항아는 청년의 말투를 흉내 냈다. 제법 비슷한 그녀의 흉내에 청년이 크게 웃음을 터뜨렸다.

주방 쪽에서 저귀가 무슨 일인가 싶어 고개를 내밀었다. 하지만 곧 항아와 눈이 마주치자 그는 이내 자라목이 되어 주방 안으로 쏙 들어갔다.

"좋은 곳이다."

청년은 주위를 둘러보며 말했다.

"그리고 좋은 사람이다."

청년은 다시 주방 쪽으로 시선을 고정하며 중얼거렸다.

"함부로 죽이기에는 너무 아까울 정도로 말이지."

* * *

음식은 여전히 맛있었다.

아침에 먹은 사천식의 진하고 매운 우육탕은 속을 풀어주는데 그만이었고, 점심 때 먹은 만두는 쫄깃하면서도 부드러운 게 식감이 정말 좋았다. 저녁의 식사는 이 일대가 황무지인 걸 잊을 정도로 화려하고 가짓수가 많았다.

유랑객잔의 뚱보 주인장이 만드는 음식들은 그렇게 며칠을 먹어도 질리지 않은 맛을 지니고 있었다.

한편 두 번째 밤도 세 명의 여인들은 저귀의 침소를 수시로 들락거렸다. 셋째 날부터는 밤낮을 가리지 않고 저귀를 유혹하기 시작했다.

설거지하는 저귀를 뒤에서 끌어안고 몸을 비비는 건 예사였다. 툭하면 옷을 벗고 툭하면 옷을 벗기려 들었다. 심지어 볼일을 보는 측간의 문을 열고 들어와 아랫도리를 빨아 주겠다고 덤벼들기도 했다.

저귀는 날이 갈수록 초췌해지고 피폐해졌다. 눈 밑으로 생긴 검은 그림자가 웅묘(雄猫)처럼 진해졌다.

'이제 이틀만 버티면 된다.'

'이제 하루 남았다.'

저귀는 손꼽아 날짜를 헤아리며 약속한 닷새가 흘러가기를 기다렸다. 그게 지금 그가 할 수 있는 최선이었으니까.

"아닌데요."

하지만 청년은 저귀의 기대를 저버렸다.

"열흘 더 묵기로 마음을 바꿨습니다."

"아니, 그게 무슨 말인가? 분명 닷새 후에 이곳을 떠나기로 약조하지 않았던가?"

"뭔가 오해가 있으신 모양입니다. 저와 주인장이 약속한 건 선불을 받은 만큼 이곳에 머물 수 있다는 내용입니다."

"그래, 바로 그걸세. 그러니까 내일은 그만……."

"자, 이건 잔금입니다."

"응? 이게 뭔가?"

"무슨 계약이든 계약금을 걸고 나중에 잔금을 치르는 법입니다. 설마, 그 선불이 계약금이라는 걸 모르셨습니까?"

청년은 얼굴 두껍게 오리발을 내밀며 딱 잡아뗐다. 저귀의 얼굴이 천천히 붉어졌다. 그는 탁자 위에 놓인 전표 다발을 내려다보다가 다시 청년을 노려보며 말했다.

"나를 희롱하는 겐가?"

"설마요."

청년이 웃으며 말했다.

"단지 제 욕심이 차고 넘칠 뿐입니다."

"욕심? 그래, 뭘 원하는데?"

"주인장께 한 수 배워 보고 싶습니다."

"흠, 그럼 처음부터 그렇게 말하지 그랬나? 굳이 날 이렇게 도발하지 않아도 한 대 정도는 때려 줄 수 있는데 말일세."

"제가 한 대 맞으면 지금보다 강해질 수 있습니까?"

"음? 그럴 리가 있겠나? 내게 한 대 맞으면 그대로 기절할 뿐인데, 그걸로 강해진다면 지금껏 내게 무수히 얻어맞았던 주정꾼은 이미 천하제일, 아니 고금제일이 되었겠네."

"그러니까 드리는 말씀입니다. 제가 지금보다 강해질 수 있는, 그 한 수를 배우고 싶습니다."

"허어, 그건 또 무슨 해괴망측한 소리인가?"

"일전에도 말씀드리지 않았습니까? 저는 제 벗의 행적을 뒤쫓다가 이곳까지 왔다고요."

"그래. 그런 말을 한 적이 있었지."

"저는 제 벗이 이곳에 들른 이후 갑자기 일취월장 실력이 향상한 걸 잘 알고 있습니다. 아마도 주인장께서 뭔가 가르침을 내려 주셨던 거겠죠."

청년의 말에 저귀는 더 이상 아무 말도 하지 않은 채 묵묵히 청년의 얼굴만 바라보았다. 청년은 여전히 웃는 낯으로 말을 이어 나갔다.

"그걸 배우고 싶습니다. 물론 주인장께서는 비인부전(非人不傳), 혹은 문외불출(門外不出), 일인전승(一人傳承)이라는 말로 거절하실 수도 있겠죠. 하지만 제가 생긴 것과는 달리 끈질기고 인내심이 강하거든요. 보름은 물론 한 달 이상, 아니면 일 년 이상 이곳에 머무르면서 주인장과 이런저런 대화를 나눌 생각입니다."

저귀는 가만히 청년의 얼굴을 바라보다가 천천히 입을 열었다.

"물론 비인부전도, 문외불출도, 일인전승도 아니네. 그건 어디까지나 연이 닿는 자만이 깨우칠 수 있고 연이 닿지 않으면 아무리 노력해도 허송세월만 하게 되니, 그 누구에게든 전해 줘도 하등 상관없는 일이지."

일순 청년의 눈빛이 반짝였다.

"그렇다면 제게도……."

"아니, 싫네."

"네? 방금 아무에게나 전해 줘도 상관없다 하시지 않으셨습니까?"

"물론 그렇지. 하지만 또 아무에게나 전해 주지 않아도 상관없네. 즉, 내 마음대로라는 거지."

저귀는 탁자 위에 놓인 전표 다발을 주워 들면서 말을 이었다.

"어디 한번 해 보시게. 나도 생각보다 끈질기고 인내심이 강한 편이라 쉽게 고집을 꺾지 않을 테니까."

살짝 놀란 듯 눈을 휘둥그레 뜨고 저귀를 쳐다보던 청년의 입가에 희미한 미소가 스며들었다. 청년은 고개를 끄덕이며 말했다.

"알겠습니다. 그럼 이건 또 새로운 내기가 되겠군요. 누가 먼저 지쳐 항복하느냐 하는 내기요."

"그렇다고 치지."

저귀는 몸을 돌리며 말했다.

"그럼 난 점심 식사를 준비하러 이만."

그렇게 말을 맺고 주방으로 향하던 저귀는 문득 생각났다는 듯이 뒤돌아선 채 물었다.

"그나저나 자네의 벗이라는 자가 누구인가? 내가 아직도 기억하고 있는 자인가?"

"그럴 겁니다. 워낙 행색이 평범하지 않으니까요."
청년은 웃으며 말했다.
"아이 둘을 데리고 다니는 홀아비 무인이라는 게 쉽게 볼 수 있는 건 아니잖습니까?"
"아!"
저귀는 누군가를 떠올리며 탄성을 흘렸다가, 이내 제 실수를 깨달은 듯 "허험." 헛기침을 하며 주방으로 사라졌다.
그 뒷모습을 지켜보며 청년은 어깨를 으쓱거렸다.
"나흘 만의 성과로군. 이렇게 내기까지 성립하는 데 말이지. 뭐, 생각보다 나쁘지 않은 결과야."
그렇게 중얼거린 청년은 조금 더 큰 목소리로, 마치 주방에 들어선 저귀에게 들으라는 듯이 이야기했다.
"이거 내가 이길지, 주인장이 이길지, 아니면 그도 저도 아닌 항아들이 이길지 더 궁금해지는걸?"
끄응, 하는 소리가 주방에서 들려오는 것 같았다.

## 2. 쥐새끼가 되었네

"그녀는?"
"식음을 전폐했어."

"흠, 그냥 죽기로 마음먹었나 보지?"

"아무래도 그런 것 같아. 뭐, 상관은 없지. 이미 그녀의 용도는 끝났으니까."

"흠. 가만 보면 너는 정말 나쁜 놈 같아."

"뭐야? 그걸 이제 알았어?"

화군악은 어깨를 으쓱거리며 말했다.

"원래 나는 나쁜 놈이었고 지금도 나쁜 놈이야. 애당초 그렇게 살아왔으니까. 내 어릴 적 별명이 소독아(少毒牙)였다는 거 몰라? 엄니를 꽉 깨문 어린 독종, 혹은 한 번 물면 죽을 때까지 절대로 안 떼는 작은 독니. 그게 나였어. 그렇게 살아온 내가 좋은 사부 만났다고 훌륭한 마누라 얻었다고 멋진 동료들과 어울린다고 변할 것 같아? 아니, 변하지 않아. 단지 감춰 두고 억눌러 뒀을 뿐이지. 내 본질은 여전히 소독아, 그 자체야. 너는? 예추, 너는 어떤데?"

질문을 받은 장예추는 살짝 입술을 깨물며 진지한 표정을 지었다.

과연 나는 변했을까.

내 본질은 무엇이고, 지금의 나와 어떻게 달라졌을까.

잠시 생각하던 장예추는 길게 한숨을 내쉬며 도리질했다.

"아니, 그러고 보니 나도 그리 달라진 게 없는 거 같아."

"그래. 그래서 사람은 변하지 않는다고 하는 거야."

화군악은 볕 좋은 앞마당으로 시선을 돌리며 말을 이었다.

"뭐, 물론 조금은 변하겠지. 상황에 따라서 조금은 착해질 수 있고, 반대로 조금은 악해질 수도 있겠지. 하지만 백팔십도로, 극에서 극으로 변하는 경우는 그리 흔치 않을 거야. 너만 봐도 그렇잖아?"

장예추는 묵묵히 화군악의 말을 들었다.

"한때는 복수에 눈이 먼 살인마처럼 굴었지만, 지금의 너는 결국 예전의 그 글 읽기 좋아하고 상상하기 좋아하던 청령산(靑靈山)의 어린 사냥꾼으로 되돌아왔잖아? 안 그래?"

장예추는 화군악의 말에 반박할 수가 없었다.

아닌 게 아니라 요즘 들어 장예추는 청령산이 점점 더 그리워지고 있었다. 가족과 친척들이 모여서, 비록 빈곤하고 힘들기는 하지만 서로 도와주고 언제나 웃고 떠들던 그때의 기억이 선명해질 때가 있었다.

가끔은 그 깊은 산속에 틀어박혀서 책을 읽고 사냥을 하며 살아가던 그때의 꿈을 꾸기도 했다. 꿈속에 장예추는 언제나 웃고 있었다.

"이번 일 끝나면 너는……."

장예추는 화군악의 말에 퍼뜩 상념을 깼다. 화군악은

장원 대문 쪽으로 시선을 옮기며 말을 이었다.

"너는 제수씨와 함께 청령산으로 돌아가라. 강호 일 모두 잊고, 이곳의 은원을 모두 묻어 두고 사냥하면서, 책 읽어 가면서 남은 인생 그렇게 보내는 게 네게는 최선일 것 같다."

"그게 쉬운 일이야, 어디?"

장예추도 화군악의 시선을 따라 대문 쪽으로 고개를 돌리며 말했다.

"금분세수로 모든 은원을 씻고 정리한 후 은거하여 여생을 편히 쉴 수 있다면 무림인들의 평균 수명이 지금보다 몇 배는 더 높아졌을 거야. 하지만 그렇지 않잖아? 금분세수했다고, 은거했다고 가만히 놔두는 세상이, 그런 적들이 아니니까."

"뭐, 하기야 저 담 형님도 은거 끝에 형수를 잃고 다시 강호로 나와야만 했으니까. 그건 그렇고……."

말하던 화군악의 목소리가 문득 허공에서 사라졌다. 대신 그의 은밀한 전음술이 장예추의 귓전으로 파고들었다.

—누군가 밖에 있는 것 같지 않아?

장예추의 입술이 달싹거렸다.

—잘 모르겠어. 기척이 느껴지는 것 같기도 하고, 그렇지 않은 것 같기도 하네.

-나도 그래서 긴가민가한 중이야. 뭔가 착각한 게 아닐까 하고……. 하기야 누군가 침입자가 있었다면 골목길 주변에 펼쳐 둔 네 진법이 반응을 일으켰을 테니까.

그렇게 전음술을 펼친 화군악은 문득 주위를 둘러보며 조금 큰 목소리로 말했다.

"그나저나 이거 조용해도 너무 조용한 거 아냐? 마치 폭풍전야 같은 분위기라고."

아닌 게 아니라, 안가 주변은 수상할 정도로 조용했다.

안가를 조사하러 왔던 풍뇌산인과 추혼흑장이 죽은 지 이틀이나 지났다. 분명 금해가 측에서는 그들의 실종 사실을 확인하고 재조사에 나서야 하는 게 당연했다.

하지만 놀랍게도 지난 이틀간 이 안가 골목 주위에는 개미 새끼 한 마리도 보이지 않았다.

"너무 조용하니까 그게 또 마음에 들지 않는군."

화군악은 여전히 대문 근방에 시선을 고정시켜 둔 채 중얼거리다가 이내 고개를 갸웃거리렸다.

"흠, 아무래도 착각이었나 보네. 더 이상 아무 기척도 나지 않는 걸 보면 말이지."

"어쩌면 고양이나 쥐일 수도 있겠지. 나도 그 녀석들의 갑작스러운 기척에 긴장한 적이 한두 번이 아니니까."

"그럴지도 모르겠네."

화군악이 그렇게 수긍할 때였다.

"와아!"

"죽여라!"

"덤벼라!"

갑자기 거친 함성과 목소리가 쩌렁쩌렁하게 울려 퍼졌다. 곧이어 챙! 챙! 하면서 병장기 부딪치는 소리가 요란하게 들려왔다.

화군악과 장예추는 움찔거리며 귀를 기울였다. 두 개의 골목 너머, 큰길가 쪽에서 들려오는 소리였다.

제법 멀리서 들려오는 소리였지만 워낙 조용하던 안가였던지라 바로 곁에서 들리는 것처럼 생생하게 전달되었다.

"무슨 일이지?"

"글쎄. 어쨌든 가서 담 형님과 유 사부께 알려야겠다."

장예추가 객청 안으로 뛰어 들어갔다. 화군악도 그 뒤를 따르려다가 갑자기 홱 몸을 돌리며 담장 어느 한쪽을 노려보았다.

하지만 그는 이내 곧 고개를 저으며 중얼거렸다.

"그놈의 쥐새끼가."

화군악은 그 말을 남기고 서둘러 객청 안으로 들어갔다.

* * *

"졸지에 쥐새끼가 되었네."

천수불타(千手佛陀) 왕윤(王允)은 담장 벽에 기댄 채 피식 웃었다.

안가 바깥쪽으로는 세 겹의 포위망이 펼쳐져 있었지만 왕윤에게 있어서 그건 아무것도 아니었다.

차라리 소림사 주방에 들어가 몰래 장문인의 음식을 훔쳐 먹었던 때가 더 힘들었다. 물론 황궁에 잠입했을 때와는 더더욱 비교조차 되지 않는, 그야말로 눈 감고도 할 수 있는 간단한 일이었다.

"그런데 저 애송이들에게 하마터면 들킬 뻔했다 이거지?"

왕윤은 가볍게 한숨을 쉬며 중얼거렸다.

"그런 걸 보면 나도 이제 늙었나 보군."

그는 다시 담장 위로 살짝 고개를 내밀어 안가 안쪽을 들여다보았다.

"이 골목길만 아니라 저 안에도 진법이 펼쳐져 있군. 보아 하니 칠성(七星)을 바탕으로 해서 살짝 변화를 준 간단한 진법인 것 같아."

왕윤은 몇 번 안마당을 보는 것만으로 그곳에 어떤 진법이 펼쳐져 있는지 순식간에 알아차렸다.

"정석적인 진법이야. 그만큼 파훼하기도 쉽지. 외려 골목길에 펼쳐진 진법이 더 재미있는 것 같아. 물론 아직 엉성하기는 하지만 말이지. 마치 진법을 갓 배운 자가 설치한 것처럼 말이야."

왕윤은 그렇게 중얼거리면서도 눈으로는 진법의 변화를 읽고 머릿속으로는 파훼법을 그리고 있었다.

언제나 부처처럼 인자한 미소를 띠고 있다고 해서 천수불타라는 별호가 생겼다. 하지만 그 이전에는 탈명배수(奪命扒手)라는, '목숨을 훔치는 소매치기'라는 무시무시한 별호로 강호를 누비던 그였다.

수백 건의 살수행(殺手行)을 완벽하게 수행하는 동안 그는 수백, 수천의 진법과 마주쳤고 일일이 그 진법들을 통과하여 목표물에 접근했다.

이번에도 마찬가지였다.

골목길에 하나, 앞마당에 하나, 두 개의 서로 다른 진법이 왕윤의 앞을 가로막았지만 그는 언제나처럼 간단하게 진법을 파훼하고 안으로 들어갈 것이다.

문제는 그다음부터였다.

"누가 화군악이라는 자인지부터 확인해야겠지."

이미 완벽하게 진법의 파훼법을 숙지한 듯 왕윤은 다시 고개를 숙이고 담장에 등을 붙인 채 곰곰이 생각했다.

'아까 그 두 명하고 안에 세 명이 더 있는 것 같지? 모두 다섯 명, 그중 늙은이와 계집을 제외하면 세 명. 그 셋 중 하나가 화군악이겠지.'

왕윤은 문득 며칠 전 밤, 초운혜와 함께 있었던 기억을 떠올렸다.

* * *

“만약 변장을 지우지 않고 있다면 원숭이처럼 생긴 중년 사내일 테고, 변장을 지웠다면 이십 대 중후반의 잘생긴 난봉꾼 모습을 하고 있을 거예요. 자존심이 강하고 자만심이 넘쳐흐르는 작자이니, 대놓고 네놈이 화군악이냐고 물어도 거짓말을 하거나 변명하지 않을 겁니다.”

초운혜는 그 어느 때보다 달콤하고 부드러운 손길로, 벌거벗은 왕윤의 축 늘어져 흉물스러운 아랫도리를 쓰다듬으며 말했다.

“놈의 목만 가지고 오면 돼요. 당신에게는 아주 간단한 일이죠? 그래요. 잠자는 계집 속곳 벗기는 일보다 더 쉬운 일일 거예요.”

초운혜는 더없이 아름다운 미소를 머금으며 말을 맺었다. 그러고는 그 조그맣고 귀엽고 탐스럽고 탱탱한 입술을 벌려 왕윤의 늙고 초라한 물건을 꿀꺽 집어삼켰다.

“으윽.”

왕윤의 입에서 비명인지 신음인지 탄식인지 알 수 없는 소리가 흘러나왔다.

## 3. 가짜로군

큰길가에서는 여전히 비명과 고함, 병장기 부딪치는 소리가 들려왔다.

객청에 앉아 가만히 듣고 있던 담우천이 고개를 저었다.

"가짜로군."

"네?"

"가짜요?"

화군악과 장예추가 깜짝 놀라며 물었다.

"그래. 서로 짜고 일부러…… 쿨럭, 쿨럭!"

담우천은 말을 이으려다가 가볍게 기침했고, 바로 옆에 붙어서 시중을 들던 나찰염요가 빠르게 차를 먹였다. 아직 완벽하게 회복하지 못한 담우천은 차를 마신 후 길게 한숨을 쉬며 고개를 저었다.

"나이가 들어서인지 회복 속도가 확실히 느려진 것 같아."

맞은편 차탁에 앉아 있던 유 노대가 곰방대에 불을 붙이며 피식 웃었다.

"벌써 그런 소리 하면 안 되지. 내 나이 때 되어서는 어찌하려고?"

"죄송합니다."

담우천이 사과할 때 화군악이 그를 채근했다.

"아니, 도대체 짜고 한다는 게 무슨 소리죠? 그러니까 진짜로 싸우는 게 아니라 서로 합을 맞춰서 병장기를 부딪치고 고함과 비명을 지르는 시늉만 한다는 겁니까? 진짜로 싸우는 게 아니라?"

"그래."

"왜요? 왜 그런 일을 하는데요?"

"그건 나도 모르네."

담우천이 내상 부위가 아직도 아픈지 손을 가져다 대며 살짝 인상을 찡그리자, 나찰염요가 부드러운 어조로 말했다.

"들어가서 쉬실래요?"

"아니, 괜찮네."

담우천은 고개를 저었다.

"통증이야 조금 있으면 가라앉을 것이고. 계속 누워 있는 것보다는 이렇게 말하고 움직이는 게 회복하는 데에는 더 나을 거야."

"너무 무리는 하지 마세요."

"알겠네."

담우천은 이렇게 나찰염요가 다정하게 구는 모습을 남들에게 보인다는 게 살짝 부끄러웠던지 헛기침을 하며 화제를 돌렸다.

"직접 눈으로 확인해 보지 않는 이상, 무슨 꿍꿍이인지는 알 수가 없지. 하지만 확실한 건 병장기 부딪치는 소리에 살기가 실리지 않고, 고함에는 악이 담겨 있지 않다는 게야. 비명 또한 그냥 아무렇게나 입 밖으로 내지르는 소리에 불과하고."

"흠, 그렇다면 도대체 무슨 짓을 벌이는 걸까요?"

화군악이 답답하다는 듯이 중얼거릴 때, 장예추가 입을 열었다.

"제가 가서 확인해 보고 오겠습니다."

"네가?"

"자네가?"

화군악과 유 노대의 눈이 휘둥그레졌다. 장예추는 담담한 어조로 말했다.

"제 사부 중 한 분이 그 유명한 도둑이셨잖습니까? 그 분께 배운 잠입술과 은잠술이라면 충분히 들키지 않고 갔다가 돌아올 수 있을 겁니다."

"하지만 혼자는 조금 그렇잖아? 나도 함께 가지."

"아니, 혼자가 더 편해."

"아니, 그러지 말고. 나도 며칠이나 이곳에 갇혀 있다 보니까 너무 답답해서 그래."

"그만해라, 어린아이도 아니고."

유 노대가 혀를 차며 화군악을 나무랐다.

“예추가 어디 놀러 가는 것도 아니잖느냐? 정 답답하면 요 골목길 주위를 산책하면 될 것이고.”

화군악이 입을 삐죽거렸다.

“골목길 주변에는 진법이 펼쳐져 있어서 산책하기 좋은 길이 아니거든요.”

“그렇게 단정하지 말고 생각을 바꿔 봐. 진법에 갇혀 미로 속에서 헤매는 것도 나름 재미있을 거야.”

장예추의 말에 화군악의 눈빛이 반짝였다.

그것도 그럴듯하다는 표정이었다.

실제로 무료하고 답답한 심정에서 벗어나기에는 나름대로 나쁘지 않은 방법일 수도 있었다. 언제든지 진법에서 빠져나올 수 있다는 확실만 있다면.

“흠, 그럼 네가 돌아올 때까지 칠성환영진인가 뭔가 하는 곳에서 잠깐 놀고 있을까?”

“그래. 그게 딱 네 녀석 수준에 어울리겠다.”

유 노대가 곰방대에서 연기를 뿜어내며 웃었다. 화군악은 어깨를 으쓱거리며 자리에서 일어났다.

“뭐, 놀릴 테면 얼마든지 놀리세요. 진법에 갇혀 허우적거려 보는 것도 분명 언젠가는 반드시 도움이 되겠죠.”

“그럴 거야.”

장예추도 따라서 자리에서 일어나며 말했다.

“그럼 다녀오겠습니다.”

"조심하게."

담우천이 당부했다.

장예추는 막 객청을 나서려다가 문득 걸음을 멈췄다. 그러고는 뭔가 말할까 말까 고민하는 표정을 지었다. 화군악이 객청 문을 열다가 그를 보고 물었다.

"뭐 해? 이제 와서 새삼 무서운 거야?"

장예추는 눈살을 찌푸리고는 담우천을 돌아보며 입을 열었다.

"혹시나 해서 말씀드립니다. 밖에서 묘한 기척을 느꼈거든요. 아무것도 아닐 수도 있겠지만…… 어쨌든 조심하시기 바랍니다."

"아, 그거?"

화군악이 아는 척을 하며 손을 저었다.

"내가 말했잖아, 아무것도 아니라고. 내 천조감응진력으로도 기척을 찾지 못했으니까."

"나도 알아. 하지만 조심해서 나쁠 건 없잖아?"

"정말 소심하기는."

화군악과 장예추가 티격태격할 때 담우천이 중재하듯 입을 열었다.

"알겠다. 우리도 거듭 주의할 테니 예추, 자네도 조심하고."

"네. 그럼."

장예추는 화군악의 뒤를 따라 객청 밖으로 나섰다. 객청 문을 닫은 후 장예추는 화군악을 돌아보며 말했다.

"형님 내외와 유 사부, 잘 지켜 줘."

화군악이 피식 웃었다.

"걱정하지 말라니까. 무슨 천 리 길을 가는 사람처럼 굴어? 잔말 말고 얼른 다녀와."

장예추는 질렸다는 듯이 고개를 한 번 젓고는 훌쩍 몸을 날려 담장 밖으로 날아갔다. 잠시 그 뒷모습을 지켜보던 화군악이 손을 비비며 중얼거렸다.

"그럼 나도 따라가 볼까?"

화군악은 지면을 박차고 몸을 날렸다. 단번에 담장을 뛰어넘은 그가 경공술을 발휘하여 날아가는 방향은, 방금 장예추가 사라졌던 바로 그 큰길 쪽이었다.

두 사람이 그렇게 안가를 떠난 직후, 담장 구석진 곳에서 나지막한 한숨 소리가 들려왔다.

"귀찮게 되었군."

어느새 은밀하게 안가 안쪽으로 잠입한 왕윤이었다. 그는 백발의 머리를 긁적이며 투덜거렸다.

"객청 안에 한 명, 그리고 저 두 명…… 아무래도 저 둘 중 하나가 화군악이라는 놈 같은데."

왕윤은 그들의 뒤를 따를까 살짝 고민했다. 하지만 이내 그는 고개를 저었다.

"다시 이곳으로 돌아올 테니 먼저 객청 안에 있는 사내부터 확인해도 나쁘지 않겠지."

그렇게 결정을 내린 왕윤은 조심스러운 걸음으로 객청 벽면까지 이동했다. 그는 정신을 집중하여 객청 안의 기척과 냄새를 확인했다.

셋이었다. 지분 냄새를 풍기는 여인이 하나, 연초를 피우고 있는 노인이 하나, 그리고 어디 몸이 좋지 않은 듯 가볍게 기침을 하는 사내가 하나.

'호오, 이것 봐라.'

그들의 기척을 확인하던 왕윤의 표정이 진지해졌다.

'아까 그자들도 상당한 고수인 것 같더니 객청에 있는 세 명 역시 그에 못지않은 고수들이로구나.'

특히 연초 냄새를 풍기는 늙은이의 기(氣)는 절대 녹록지 않았다.

그 늙은이에게서는 장강처럼 거대하며 태산처럼 웅장한 기운이 한 점 흔들림 없이 안정된 상태로 은은하게 흘러나오고 있었다.

강호의 노기인, 그것도 백도 정파 쪽의 오랜 경험과 수많은 실전을 통해 실력을 닦아 온 고수의 기운이었다.

'만만치 않겠다.'

하지만 두렵거나 불안하지는 않았다.

수십 년 전 정사대전 당시, 왕윤은 저 기운보다 몇 배는 더 강한 기도를 뿜어내는 자도 암살한 적이 있었으니까. 그로 인해 하마터면 당시 정사대전의 결과가 엉뚱한 쪽으로 맺어질 뻔한 하기도 했다.

'하지만 조심해야지. 나도 이제는 늙었으니까 말이야.'

왕윤은 내심 그렇게 중얼거리며 여인의 기척을 확인했다. 노인과는 달리 그녀의 기는 파장의 고저가 심한 움직임을 보이고 있었다.

물론 그녀 역시 상당한 수준의 고수임에는 분명했으나 아무래도 심적으로 큰 갈등이나 고민이 있는 듯, 지금 그녀에게서는 평상심을 잃은 듯한 기운이 흘러나왔다.

'먼저 늙은이부터 해치우고 다음에 계집을 죽이면 되겠네.'

왕윤은 그럴듯한 계획을 짜면서 마지막 남은 사내의 기에 집중했다.

일순 왕윤의 눈이 휘둥그레졌다.

'어라? 이 작자는?'

생각보다 훨씬 형편없었다.

금방이라도 사라질 것처럼 미미한 기운이 바람에 흔들리는 연기처럼 이리저리 휘날리고 있었다.

마치 오랜 중병을 앓고 일어선 자처럼, 혹은 정식으로 무공을 배우지 않은 상태에서 약초와 환단의 힘만으로 내공을 쌓아 올린 것처럼 사내가 흘리는 기운은 불안하고 위태롭기 짝이 없었다.

'그럼 순서는 정해졌군.'

왕윤은 희미하게 웃었다.

'늙은이를 암살한 다음 바로 몸을 돌려서 계집의 목을 베고는 사내의 혈도를 제압한다. 그리고 네놈이 화군악인지 물으면 끝나는 일이다. 운혜 그 녀석 말대로라면 결코 거짓말을 하지 않을 테니까.'

만약 사내가 화군악이 아니라도 상관없었다. 지금 장원 밖으로 사라진 두 사내가 돌아올 때까지 세 구의 시신 주변에서 몸을 숨긴 채 기다리면 될 일이니까.

확실히 생각보다 간단한 일이었다.

5장.

# 네 녀석도 사냥꾼이로구나

거리는 다시 오 장여 간격까지 좁혀졌다.
창을 던지면 누군가의 목을 꿰뚫을 수 있는 거리.
예서 조금만 더 거리가 좁혀지면 그때는
군과 무림인의 전면전을 피할 수 없게 된다.

## 1. 모두 우연이오

"여덟! 아홉!"

도원겸이 아홉까지 헤아렸다.

그의 얼굴이 결연한 각오의 빛이 떠오르는 순간이었다. 남천로 대로를 막고 서 있던 무림인들이 일제히 몸을 피해 길을 터 주었다.

칠절우사 또한 마찬가지였다.

그는 귀신처럼 대로 한쪽으로 움직여 자리를 잡은 후, 여전히 정중한 어조로 말했다.

"다시 한번 말씀드리지만, 저 앞쪽으로는 오만방자하고 방약무도한 자들이 치열한 전투를 벌이고 있습니다.

그들은 그저 피에 굶주린 살인귀, 나라나 황제나 국법을 전혀 두려워하지 않습니다. 그러니 부디 무사히 지나가시기만을 기원하겠습니다."

"조언 고맙네."

도원겸은 가볍게 고개를 끄덕인 후 손을 앞으로 뻗었다. 지켜보고 있던 선두의 병사가 우렁차게 외쳤다.

"진! 군!"

다시 북이 울리고 오천육백의 병졸이 일제히 움직이기 시작했다. 위지휘사사의 긴 행렬이 숙객들의 포위망을 지나쳐 천천히 남천로로 들어섰다.

"이제 우리는 어찌합니까?"

칠절우사 곁에 서 있던 숙객 중 한 명이 나지막하게 물었다. 칠절우사는 행렬 중 마지막으로 지나치는 마차를 바라보며 대답했다.

"글쎄. 굿이나 보고 떡이나 먹을까?"

담담한 목소리와는 달리 남천로로 향하는 행렬의 뒤꽁무니를 노려보는 칠절우사의 눈가에는 분노의 빛이 일렁거리고 있었다.

목숨을 걸고 전면전을 펼치면 상대도 되지 않을 것들이 국법과 국가라는 배경을 믿고 설치는 것이, 그렇게 설치는 놈들을 피해 이렇게 한쪽 구석으로 밀려난 것이 아무래도 칠절우사의 자존심과 자긍심을 건드렸던 모양이었다.

하지만 칠절우사는 곧 평온한 기색으로 말을 이었다.

"어쨌든 초 가주의 전언은 싸우기 직전까지만 그들을 막으라고 했으니까. 그다음 일은 저 안쪽에 있는 자들이 알아서 하겠지."

그렇게 말한 칠절우사는 다른 숙객들을 둘러보며 입을 열었다.

"다시 포위망을 형성한다. 쥐새끼 한 마리도 빠져나가지 못하고 들어오지 못하도록, 더욱 엄중하고 철저하게 경계를 서야 한다."

그의 지시에 따라 주변 모든 숙객들이 빠르게 움직여 자리로 돌아갔다. 그들은 오 장의 간격을 둔 채 서슬 퍼런 눈으로 주위를 둘러보았다.

그들 또한 자존심 강하고 명예를 목숨보다 중하게 여기는 무림인들이었다. 칠절우사만큼은 아니겠지만, 그들도 저 위지휘사사의 병력을 피해 물러난 사실에 수치와 치욕을 느끼고 있었다.

지금 그들이 보여 주는 날카로운 살기는 바로 그런 연유에서 비롯된 것이었다.

그렇게 백팔숙객의 살기가 악양부 남천로를 뒤덮는 가운데 위지휘사사의 군대는 천천히, 그리고 일정한 속도로 북진하고 있었다.

"싸움이 벌어지기는, 이렇게나 조용한데 말이지."

도원겸이 주위를 둘러보며 코웃음을 쳤다. 싸움은커녕 남천로 일대는 마치 사람이 살지 않는 마을처럼 고요하고 적막했다.

"이상하기는 이상하군."

잠시 주변을 둘러보던 도원겸이 고개를 갸웃거렸다.

"쥐 죽은 듯 조용한 건 그렇다 치더라도 이건 너무 사람이 보이지 않는 거 아냐?"

확실히 이상한 일이었다. 숙객들의 포위망을 지나쳐 남천로 중앙으로 이동하는 동안 도원겸은 단 한 명의 행인도 보지 못했다.

곁에 있던 강만리가 입을 열었다.

"조금 전의 그들이 철저하게 통제한 까닭같소."

"무슨 이유로? 무슨 목적으로?"

"그야 나도 알 수 없는 일이오."

강만리는 시치미를 뗐지만 도원겸은 수상쩍다는 눈초리로 그를 바라보았다.

'처음부터 이상했다.'

이 멧돼지처럼 생긴 작자가 느닷없이 황제의 직인이 찍힌 증패를 들고 나타난 것도 이상했다. 그리고 그 패를 내밀면서 요청한 것 자체도 생각해 보면 황당하기 이를 데 없는 요구였다.

'그저 우리 군대를 이끌고 악양부 시내를 지나치면 된

다? 도대체 왜? 무슨 이유로? 무슨 목적으로?'

강만리의 그 청을 받아들인 당시만 해도 전혀 갈피를 잡을 수 없는 요구였다.

하지만 지금은 어느 정도 알 것 같았다. 분명 지금 이 남천로의 상황과 이 강만리라는 자의 요구가 서로 얽혀 있는 게 틀림없었다.

'무림인들이 철저하게 통제하고 있는 남천로, 그 남천로를 통과하라는 이자의 요구…… 분명 이유를 알 수 없는 상관관계가 있다.'

그렇게 생각한 도원겸은 갑자기 기분이 나빠졌다.

'흥! 무림인들 사정에 감히 군대까지 동원을 해? 도대체 우리 군을 뭐로 본거지?'

군은 국가의 안위를 지키고 황권을 수호하고 백성을 보호하는 조직이었다.

기껏해야 뒷골목의 깡패나 불한당보다 조금 더 나은 처지에 불과한 강호 무림인들 따위가 자신들 사정에 맞춰서 오라 가라 할 수 있는 존재가 절대 아니었다.

불쾌감이 등골을 타고 스멀스멀 기어 올라와 도원겸의 전신을 휘감았다.

그때였다.

갑자기 저 남천로 안쪽에서 요란한 고함과 격렬하게 병장기 부딪치는 소리, 그리고 처절한 비명이 터져 나왔다.

느긋하게 진군하던 도원겸의 군대가 일순 얼어붙은 듯 그 자리에 멈췄다.

"죽여라!"

"누구든 상관없다! 앞을 막는 자는 모두 죽여라!"

"아악!"

"컥!"

챙! 챙! 챙!

가뜩이나 쥐 죽은 듯 고요하던 남천로였다. 그렇게 갑자기 온갖 소리들이 울려 퍼지자, 평소보다 더 날카롭고 잔인하고 악랄하게 들려왔다.

'놈들의 말이 사실이었던 건가?'

도원겸의 안색이 급변했다. 그때였다.

"속하가 보고 오겠습니다!"

선두에 있던 백호장이 달려와 그에게 말했다. 도원겸은 황급히 정신을 차리고 지시를 내렸다.

"열 명의 척후조를 구성해서 무슨 일이 벌어지고 있는지 확인하라. 만약 생사를 오가는 전투가 벌어지는 중이라면 너무 가까이 다가가지 말고 상황 파악만 한 후 돌아오도록 하라. 괜히 무림인들의 항쟁에 끼어들 필요는 전혀 없으니까 말이다."

"명을 받들겠습니다."

백호장은 서둘러 돌아갔다. 그는 곧 날래고 경험 많으

며 담대한 자 열 명을 선발하여 앞으로 달려 나갔다.

도원겸은 가볍게 눈살을 찌푸리며 뭔가 생각하더니 갑자기 강만리를 돌아보며 불쑥 말했다.

"이제 말씀해 주시지요."

강만리는 조그만 눈을 끔벅거리며 물었다.

"뭘 말이오?"

"우리를 이곳으로 끌고 온 목적 말입니다. 설마 저 무림인들 때문에 그런 겁니까?"

"아니오."

강만리는 무뚝뚝하게 부인했다. 하지만 도원겸은 집요하게 물고 늘어졌다.

"아니지 않습니까? 그렇다면 우연히 우리가 이곳을 통과하는데 우연히 저들이 길을 막고 있고, 또 우연히 저 앞에서 무림인들의 전쟁이 벌어지고 있다는 뜻입니까?"

"그렇소. 모두 우연이오."

여전히 강만리는 시치미를 뗐다. 도원겸은 그를 노려보면서 말했다.

"그럼 좋습니다. 귀공이 우리를 이곳으로 오게 한 목적을 말씀하지 않으신다면 더는 움직이지 않겠습니다. 아니, 여차하면 바로 이 자리에서 회군하도록 하겠습니다."

강만리는 가볍게 한숨을 쉬며 물었다.

"증패에 뭐라고 적혀 있었는지 잊으셨소?"

"잊지 않고 있습니다. 귀공에게 모든 편의를 제공하고, 귀공의 지시를 따르라고 되어 있었습니다."

"회군은 내 지시가 아닌데?"

"하지만 아무런 설명도 듣지 못한 채 병사들을 위험한 상황에 부닥치게 할 수는 없습니다. 설령 이 일로 인해 훗날 상부의 문책을 받게 된다고 할지라도 말입니다."

강만리는 내심 한숨을 내쉬었다.

'쉬운 게 하나도 없군그래.'

생각보다 강단이 있는 자였다.

증패에 있는 직인의 위엄에다가 뇌물까지 먹였으니 그걸로 충분하다고 생각했는데 아무래도 아닌 모양이었다.

도원겸은 나름대로 머리를 굴릴 줄 아는 자였고, 또한 군에 대한 자부심과 수하를 아끼는 마음도 있는 인물이었다.

강만리는 잠시 생각하다가 천천히 입을 열었다.

"수년 전에 있었던 황궁 역모 사건, 기억하시오?"

도원겸이 움찔거렸다.

왜 기억하지 못할까.

삼황자가 측근 인사들, 조정의 대신들과 함께 작당 모의하여 스스로 황제가 되기 위해 진행했던 계획으로, 중도에 발각되어 결국 실패로 끝난 사건이었다.

그 결과, 삼황자는 유폐되었고 그 모의에 참여했던 측

근과 조정 대신들은 삼족과 더불어 참수형에 처해졌다. 도원겸 주변에도 그 일로 인해 목숨을 잃거나 삭관탈직(削官脫職)을 당한 동료들이 몇 있었다.

강만리는 나직하고 은밀하게 말을 이었다.

“황상(皇上)께서는 그 배후에 무림의 조직이 있다고 생각하시고 이 몸에게 귀한 증패를 내리시며 그 배후에 관해 조사하라는 엄명을 내리셨소. 이건 오직 황상과 태자 전하만 알고 계시는 특급 비밀이오.”

도원겸은 저도 모르게 마른침을 꿀꺽 삼켰다.

‘왜 무림포두라는 직책을 하사하셨는지 이제야 알겠구나.’

도원겸은 강만리의 신분을 두고 감찰어사라고 추측했는데 확실히 그게 아니었다. 이 멧돼지처럼 생긴 자는 군관(軍官)을 감찰하기 위해 파견된 게 아니라, 황궁의 이름으로 강호 무림을 조사하고자 움직이고 있었다.

‘그러니 당연히 관군의 도움을 필요로 할 수밖에…….’

도원겸은 그제야 강만리의 행동과 속내를 이해했다. 그는 황급히 고개를 숙이며 말했다.

“더는 말씀하지 않으셔도 됩니다.”

그건 오직 황제와 황태자, 그리고 강만리만 알고 있는 특급 임무라고 했다. 도지휘사도 아닌 일개 위지휘사에 불과한 도원겸이 끼어들기에는 너무나 황공하고 두렵고 불편한 이야기였다.

무엇보다 역모에 관한 일이니까.

조정의 대신들은 물론, 모든 관군에 있는 이들이 가장 두려워하고 역병처럼 무서워하는 단어가 역모(逆謀)라는 두 글자였다.

자칫 그 역모에 휘말리게 되면 설령 아무런 상관이 없다 하더라도, 자신은 물론 삼족, 심지어 구족까지 몰살당하는 경우가 생긴다.

도원겸의 동료 중 한 명은 역모에 가담했다는 조정 중신의 아들과 친구라는 이유 하나만으로 관복을 벗고 관직에서 물러나야 했다. 또 도원겸은 그런 그가 외려 목숨만은 건졌으니 천만다행이라며 웃는 모습을 지켜보기도 했다.

그러니 굳이 강만리라는 자와 깊게 얽힐 필요는 없었다. 이 정도에서 끝내는 게 나은 일이었다. 이 정도에서 귀를 막은 채 못 들은 척, 시키는 대로 순순히 따르는 게 뒤탈이 없을 것 같았다.

도원겸은 정중하게 말했다.

"앞으로 분부만 내리시면 그대로 따르겠습니다."

"고맙소."

강만리가 속으로 한숨을 쉴 때였다. 척후조로 나갔던 이들이 황급히 돌아왔다.

## 2. 사자후(獅子吼)

"무림인 수백 명이 피아(彼我)가 뒤섞인 채 격렬한 전투를 벌이고 있습니다. 손에서 장풍이 쏟아지고 검에서 번개가 뿜어 나오는 것이, 아무래도 그 수백 명 모두 강호 절정의 고수들인 것 같습니다."

"그들이 내뿜는 장력에 주변 건물이 부서지고 무너졌습니다. 휘두른 칼에 지면이 갈라지고 내지른 검에 벽에 구멍이 났습니다. 놀라운 건 그렇게 치열하게 싸우면서도 사상자가 거의 나오지 않는다는 점입니다. 그만큼 양쪽 모두 엄청난 고수들인 것 같습니다."

"아무래도 저들과 맞닥뜨리는 것보다는 다른 길로 우회해서 가는 게 낫지 않을까 싶습니다. 물론 그럴 리는 없겠지만, 행여 저들이 대명(大明)의 군대를 몰라보고 마구잡이로 공격을 퍼붓기라도 한다면 아무래도 만만치 않은 피해를 볼 수도 있으니 말입니다. 변(便)이 더러워서 피하지, 무서워서 피하는 게 아니잖습니까?"

백호장을 비롯한 병사들은 그렇게 조심스러운 제안을 하는 것으로 보고를 마쳤다.

도원겸은 가볍게 눈살을 찌푸렸다.

척후조의 보고에 따르자면 저 앞쪽에서 싸우고 있는 자들은 뒷골목 불량배들이 아니었다. 믿을 수 없게도 최소한 당경이나 노경에 해당하는 일류급 이상 고수들이 패싸움을 벌이고 있는 중이었다.

상대가 일반 무림인이 아니라 구파일방의 당주급, 장로급에 해당하는 무위를 지닌 고수들이라면 아무래도 말이 달라진다.

그들은 말 그대로 일당백의 실력을 지녔고, 수천 명의 병사를 전혀 무서워하지 않았다.

물론 병사들도 나름대로 무공을 익힌다. 기존에 무공을 배운 자도 있고, 또 군에 들어와 군의 무공을 새롭게 익히는 자도 있었다.

하지만 군에서 가장 중요하게 여기는 건 개인의 무위가 아니라 집단의 무력이었다. 진법을 이용하고 전법을 펼쳐서 상대를 압박하고 궤멸시키는 것, 그게 바로 군의 무력이었다.

'문제는 그런 방식으로 강호 초일류 고수들과 맞서 싸울 수는 없다는 거지.'

땅을 가르고 하늘을 나는 고수들을 상대로 평범한 병사들이 펼치는 진법이나 전법이 먹힐 리가 없었다. 수만 명 혹은 수십만 명의 대군이라면 몰라도 오천육백의 병사로는 저 수백 명의 무림 고수들을 제어할 수가 없었다.

'도대체 그런 고수들이 왜 이 악양부 한복판에서 패싸움을 벌이고 있는 게지? 그것도 수백 명이나 뒤섞인 채

로 말이야.'

도원겸의 머릿속이 어지러울 때였다. 강만리가 차분한 어조로 말했다.

"진군하시오."

"네?"

도원겸이 깜짝 놀랐다. 척후조의 백호장은 그보다 더 놀란 듯, 다급하게 말했다.

"지금 놈들은 미친개와 같아서 위아래, 앞뒤 분간하지 못합니다. 무작정 진군하다가 자칫 큰 사고가 발생할 수도 있습니다."

"나팔을 불고 북을 두드리시오. 선두에서 대명의 장사위지휘사사가 국명을 받들어 임무를 수행하는 중이라고 크게 외치시오. 앞길을 가로막는 자는 반역의 죄를 물어 본인은 물론 삼족과 사문(師門)까지 멸한다고 하시오. 그러고도 과연 그들이 미친개 흉내를 낼 수 있는지, 만약 그때도 그들이 미친개처럼 달려든다면 내가 책임지고 그들을 막겠소."

강만리가 일사천리 내뱉는 말에 도원겸과 백호장은 눈이 휘둥그레지고 간담이 서늘해졌다. 자신들이 반역의 죄를 쓰고 참살당하는 착각이 들 정도로 냉엄하고 서늘한 이야기였던 것이다.

"그, 그래도 되겠습니까?"

강만리가 누구인지, 어떤 신분으로 도원겸과 나란히 말머리를 함께하는지 알지 못하는 백호장은 도원겸을 돌아보며 그렇게 물었다.

도원겸은 크게 숨을 들이마시면서 호흡을 가다듬은 후 당당하고 우렁찬 목소리로 말했다.

"당연히 그렇게 해야지! 감히 일개 불량배들 따위가 어찌 대명의 군대 앞을 가로막을 수 있다는 말이더냐! 당장 시행하도록 하라!"

"그리하겠습니다."

백호장과 척후조들이 앞으로 달려 나갔다.

둥! 둥!

북소리가 다시 울렸다. 나팔 소리에 맞춰서 깃발이 힘차게 펄럭였다.

"전군 전진!"

선두의 병사가 힘차게 외쳤다. 쿵! 쿵! 소리와 함께 오천육백 명의 병사들이 발을 맞춰 걷기 시작했다.

도원겸은 천천히 말을 몰면서 강만리를 흘끗 쳐다보았다.

'생긴 건 그저 단순무식하기 짝이 없어 보이는데, 그런 연설도 할 줄 아는구나. 하기야 황제께서 임명한 사람인데 평범한 인물일 리 없겠지.'

사천의 평범한 전직 포두였던 강만리는 근엄하게 배를

내밀고 오만하게 턱을 든 채 묵묵히 말을 몰고 있었다. 하지만 그런 태연자약한 겉모습과는 달리 그의 속내는 꽤 들썩거리고 있었다.

'다행이다. 내 이야기가 먹혔으니 망정이지, 하마터면 애꿎은 길로 돌아갈 뻔했다.'

십삼매를 통해 전해 들은 악양부 황계의 안가는 남천로 중앙로에서 우측으로 꺾어져 들어가는 주택가 골목 안쪽에 위치해 있었다. 그리고 그 중앙로에서 수백 명의 무림인들이 집결하여 집단 싸움을 벌이는 중이었다.

'아마도 거짓 싸움일 것이다.'

강만리는 그렇게 생각했다.

'첫 번째 포위망을 구축한 자들과 두 번째 포위망을 구축한 자들을 모두 불러 모아 한바탕 커다란 혈전을 벌이는 흉내를 내고 있겠지. 괜히 그 싸움에 끼어들었다가 봉변을 당할 수도 있다는 무언의 협박인 셈이고, 안가 일대를 피해 먼 길로 우회해 가라는 종용인 게지. 당연히 금해가 쪽에서 나온 계략일 테고.'

강만리는 내심 고개를 끄덕이며 생각을 이어 나갔다.

'나름대로 괜찮은 계략이다. 군대 특성상 무림 고수들과 얽히는 걸 싫어한다는 사실을 밑바탕에 깔고 세운 계획이다. 사실 나만 아니었다면 도 위지휘사는 당연히 길을 우회하려 했을 테니까.'

강만리가 거기까지 생각할 때였다.

왼쪽으로 크게 꺾어지는 남천로에 들어서자, 행군의 선두 앞으로 수백 명의 무리들이 뒤엉켜 싸우는 광경이 저 멀리에서 보이기 시작했다. 고함과 병장기 부딪치는 소리, 비명이 더욱 크게 들려왔다.

"대명의 장사 위지휘사사가 국명을 받들어 임무를 수행하는 중이다!"

선두의 병사가 목이 터져라 외쳤다.

"앞길을 가로막는 자는 반역의 죄를 물어본인은 물론 삼족과 사문까지 멸한다!"

하지만 병사의 외침은 무리들이 싸우는 함성과 고함에 묻혀 전혀 들리지 않았다. 심지어 북과 나팔 소리마저 저들의 병장기 부딪치는 소리에 묻혀서 흔적도 없이 사라졌다.

선두의 병사는 발을 동동 구르며 어쩔 줄 몰라 했다.

그때였다. 강만리가 한껏 내공을 끌어올린 목소리로 크게 외쳤다.

"국명을 수행하는 장사 위지휘사사의 앞길을 막는 자, 반역죄로 다스릴 것이다! 본인은 물론 그자의 삼족과 사문까지 죄를 물어 멸할 것이다!"

사자후(獅子吼).

짐승의 왕 사자가 우렁차게 울부짖는 듯한 소리.

강만리 바로 곁에 있던 도원겸은 귀청이 찢어질 것 같

은 고통에 인상을 구기며 황급히 두 귀를 막아야 했고, 주변 병사들 또한 심장이 멈추고 간담이 쪼그라드는 듯한 충격에 중심을 잃고 비틀거렸으며, 사자후의 음파(音波)가 쩌렁쩌렁 울려 퍼지면서 주변 건물의 벽이 흔들리고 나무들이 휘청거렸다.

그리고 거짓말처럼 저 앞쪽에서 벌어지고 있던 치열한 전투가 멈췄다.

## 3. 철시십관(鐵矢十貫)

적막.

고요.

침묵.

모든 게 멈췄다.

강만리의 사자후가 남천로 일대에 쩌렁쩌렁 울려 퍼진 후, 보이는 모든 것은 멈췄고 들리는 모든 것은 침묵을 지켰다. 심지어 바람마저 자취를 감췄다.

강만리는 눈을 가늘게 뜬 채 선두의 병사를 바라보며 입을 열었다.

"계속해서 외치시게."

귀를 막고 벌벌 떨던 병사는 황급히 정신을 차리고 배

에 힘을 가득 준 후 큰소리로 외쳤다.

"대명의 장사 위지휘사사가 국명을 받들어 임무를 수행하는 중이다! 앞길을 가로막는 자는 반역의 죄를 물어 본인은 물론 삼족과 사문까지 멸한다!"

북소리가 다시 울려 퍼지고 나팔 소리가 찢어질 듯 귀청을 때렸다.

반면 피아를 가리지 않고 마구 뒤섞인 채 피비린내 날 것 같은 전투를 벌이던 무림인들은 머뭇거리며 서로의 눈치를 보고 있었다.

더 싸워야 할지 아니면 이대로 물러나야 할지, 그것도 아니라면 저 오천육백의 군대를 향해 덮쳐들어야 할지를 두고 곤란해하는 모습처럼 보였다.

장사 위지휘사사의 부대는 이미 북소리와 나팔소리에 맞춰 진군을 시작했다. 그들은 천천히 무림인들과의 거리를 좁혀갔으며 어느덧 불과 십여 장 정도까지 다가갔다. 그때까지도 무림인들은 전혀 움직이지 않고 있었다.

"비켜라! 비키지 않으면 반역의 죄를 물겠다!"

선두의 병사는 목이 터져라 악을 썼다.

천천히 걸음을 옮기는 병사들의 얼굴에 땀이 흐르기 시작했다. 긴장과 초조, 불안한 표정이 모든 병사의 얼굴 위로 먼지처럼 내려앉았다.

자칫 장풍을 날리고 검기를 발산하는 가공할 무위를 지

닌 무림인들과 목숨을 건 혈투를 벌이게 생긴 것이다.

창을 쥔 두 손에 불끈 힘이 실렸다. 목이 타들어 갔다. 절로 목젖이 꿈틀거렸다. 이를 악물고 눈을 부릅떴다.

두려움과 불안한 감정이 그들의 심장을 와락 쥐었지만, 그들은 머뭇거리지 않고 씩씩하게 발을 내디뎠다. 그들은 대명의 군대였고, 대명의 병사였다.

거리는 다시 오 장여 간격까지 좁혀졌다. 창을 던지면 누군가의 목을 꿰뚫을 수 있는 거리. 예서 조금만 더 거리가 좁혀지면 그때는 군과 무림인의 전면전을 피할 수 없게 된다.

초조한 눈빛으로 정면을 주시하고 있던 도원겸은 저도 모르게 강만리를 돌아보았다. 강만리는 태연한 표정으로 무림인들을 바라보고 있었다.

도원겸은 바싹 메마른 입술을 혀로 핥으며 입을 열었다.

"이러다가 진짜…… 응?"

도원겸의 눈이 휘둥그레졌다. 강만리의 옆얼굴 너머, 길가에 있는 삼 층 객잔의 지붕 위, 그곳에서 무언가 햇빛에 반사되어 반짝이는 것을 본 것이다.

"저게 뭐죠?"

도원겸이 엉겁결에 손을 들어 그것을 가리키며 물었다. 강만리는 천천히 고개를 돌려 삼 층 객잔의 지붕을 쳐다보았다.

바로 그 순간이었다.

콰앙!

천둥이 울렸다. 천근 화약이 폭발했다. 귀먹을 것 같은 굉음이 터졌다. 강만리의 사자후와는 또 다른 충격이 사람들이 귀를 먹게 했다.

내공이 약한 자들과 일반 병사들은 그 충격과 고통을 견디지 못한 채 중심을 잃고 비틀거리거나 그 자리에 주저앉아야만 했다.

동시에 거대한 무언가가 가공할 파괴력을 싣고 주변 공기를 갈기갈기 찢어발기며 강만리의 머리를 향해 날아들었다.

그것은 쇠화살이었다.

일반 화살보다 두 배는 크고 백 배는 무거우며, 천 배는 파괴력이 실린 철시(鐵矢)였다.

철시가 쏘아지는 순간, 그 파공성이 천둥처럼 혹은 천근 화약이 폭발하는 것처럼 울려 퍼졌으며, 삼 층 객잔 지붕과 강만리와의 약 십여 장 거리를 단숨에 꿰뚫으며 소스라치게 빠른 속도로 파고들었다.

'헉!'

강만리는 헛바람을 집어삼키며 본능적으로 몸을 피하려 했다. 하지만 이내 그의 얼굴이 일그러졌다.

이런.

피할 수가 없었다. 그의 옆에는 도원겸이 있었고, 강만리가 피하는 동시 도원겸이 쇠화살에 관통될 테니까.

노리고 쏜 것일까.

누군지는 모르겠지만 아마도 충분히 노리고 쏘았을 것이다. 이 정도의 파괴력과 빠른 속도를 지닌 쇠화살을 쏠 능력이라면, 충분히 거기까지 생각했을 것이다.

강만리는 이를 악물며 손을 들었다.

황급히 끌어올린 내공이 그의 손 주위를 두툼하게 휘감으려는 순간, 공간과 거리를 꿰뚫고 날아든 철화살이 그의 손바닥에 박혔다.

"크!"

짧은 신음이 강만리의 입에서 튀어나왔다.

철화살은 손바닥을 꿰뚫고 그 기세를 몰아 강만리의 머리까지 관통하려 했다. 그리고 충분히 그만한 위력이 실린 철화살이었다.

하지만 믿을 수 없게도, 철화살은 강만리의 손바닥을 꿰뚫는 것만으로 그 힘을 소진하고 더는 움직이지 않았다. 마치 마지막 활시위를 놓을 때 제대로 힘을 싣지 못한 것처럼.

부르르!

화살대가 뭍에 오른 물고기처럼 떨다가 이내 축 늘어졌다.

바로 그때, 철화살이 쏘아진 삼 층 객잔의 지붕 위에서 처절한 비명이 길게 이어졌다.

"아악!"

* * *

강만리의 사자후는 남천로 중앙 일대를 폭풍처럼 휘몰아쳤다. 황계 안가에서 출발하여 수십 채의 지붕을 지나쳐 이제 막 반쯤 붕괴된 대복객잔의 지붕 꼭대기로 날아오른 장예추도 그 사자후를 들을 수가 있었다.

'응? 저 목소리는?'

장예추는 몸을 낮추며 소리가 들려온 방향을 확인했다. 싸움이 벌어진 남천로 큰길 쪽, 바로 그곳에서 들려온 고함이었다.

'분명 강 형님 목소리다. 그런데 국명을 수행하다니, 도대체 지금 무슨 일을 벌이고 계시는 걸까?'

의문을 해결하는 건 간단했다. 직접 가서 두 눈으로 확인하면 되는 일이니까.

장예추는 다시 주위의 기척을 살피고 아무도 없음을 확인한 후, 곧장 큰길을 향해 몸을 날렸다.

다섯 개의 작은 지붕과 세 개의 큰 지붕을 지나치는 순간, 장예추는 황급히 경공술을 멈추고 그 자리에 멈췄다. 남천로 길가에 있는 삼 층 객잔, 그 지붕 위에서 서너 개의 기척이 느껴졌던 까닭이었다.

장예추는 용마루 아래로 몸을 숨긴 채 고개만 살짝 내밀어 그 기척들을 살폈다. 삼 층 객잔 지붕 위에는 네 명의 인물이 몸을 낮춘 채 남천로의 상황을 지켜보는 중이었다.

'좋아. 때마침 바람도 내 편이로군.'

바람은 네 명의 사내들로부터 장예추 쪽으로 불어오고 있었다. 게다가 목표물들은 오로지 정면 남천로의 상황에만 집중하고 있었으니, 사냥을 하기에는 더없이 좋은 최적의 상황인 셈이었다.

장예추는 그들의 뒷모습을 보며 천천히 몸을 움직여 앞으로 나아갔다.

네 명의 인물은 등 뒤에서 살금살금 다가오는 장예추의 기척을 전혀 알아차리지 못한 채 남천로 쪽을 내려다보면서 나지막한 대화를 나누고 있었다.

"두목만 해치우면 된다고 했지?"

"허어, 두목이 뭔가? 산적 패거리도 아니고. 위지휘사라고 하는 걸세. 위지휘사사의 수장인 게지."

"그거나 두목이나. 그나저나 방금 호령한 저 자가 그 위지휘사인가 뭔가 하는 작자일까?"

"흠, 그건 아닌 것 같아. 위지휘사라고 무공을 익히지 말라는 법은 없겠지만, 방금 그 사자후는 일개 장수가 다다를 수 있는 수준을 뛰어넘었으니까. 무엇보다 갑옷도

입지 않고 있지 않은가?"

"그렇다면 아무래도 그 옆에서 말을 몰고 있는 저 장수 같군. 다른 장수들의 갑옷보다 더 휘황찬란하기도 하고."

"하지만 조금 문제가 될 것 같은데. 위지휘사를 해치우는 거라면 저 장수를 죽이면 되는 일이지만, 두목을 해치우라고 했다면 저 둘 중 누가 두목인 게지?"

"그야……."

당연히 위지휘사가 두목이라고 대답하려 하던 사내가 문득 입을 다물었다.

위지휘사를 옆에 두고 자신이 직접 나서서 사자후를 터뜨린 걸 보면, 어쩌면 저 멧돼지 같은 체구의 중년인이 진짜 두목일지도 모르겠다는 생각이 든 까닭이었다.

"거봐. 자네도 헷갈리지?"

"그럼 둘 다 죽이면 되지. 고민할 게 뭐가 있나? 우리에게는 한 발의 화살로 열 마리 기러기의 목을 꿰뚫는다는 천하의 명궁, 철시십관(鐵矢十貫)이 있지 않은가?"

사내들은 커다란 궁을 들고 있는 사내에게로 시선을 돌렸다. 궁을 든 사내는 무덤덤한 목소리로 말했다.

"일반 기러기야 열 마리든 스무 마리든 상관없지만, 상대는 오천육백 명을 지휘하는 장수에다가 방금 전 그 요란한 사자후를 터뜨린 내공의 소유자이네. 활을 쏴 보지 않고서는 뭐라 확신할 수 없네."

"역시 자네는 겸손하다니까."

"엄살도 심하군. 나는 지금껏 자네가 그 철시로 구천십지백사백마들의 목을 관통하는 광경을 제법 봐 왔네. 설마 저 자들이 그들보다 강하다고 생각하는 건 아니겠지?"

"글쎄."

철시십관이라는 별호로 불린 사내는 애매모호하게 말을 흐리면서 활시위를 조율했다. 일반 활보다는 두 배 이상 큰 활이었고, 활시위 또한 두툼한 쇠심줄을 몇 겹이나 꼬아 만든 듯 단단하면서도 질겨 보였다.

철시십관은 전통(箭筒)에서 화살을 꺼냈다.

쇠화살이었다.

일반 화살보다 두 배는 크고 백 배는 무거워 보이는 쇠화살이었다. 아마도 그 파괴력은 일반 화살보다 천 배 이상은 족히 될 듯 보였다.

확실히 이런 쇠화살이라면 능히 열 마리의 기러기쯤이야 단번에 꿰뚫을 수 있을 것 같았다.

철시십관은 천천히 쇠화살을 활에 먹이고 시위를 당겼다.

우두둑!

마치 뼈가 부러지는 듯한 소리와 함께 대궁(大弓)이 크게 휘어졌다.

철시십관은 하늘을 향해 활을 겨누면서 호흡을 가라앉혔다. 천천히 그리고 길게 호흡을 들이마신 그는 한순간 그대로 지면으로 목표를 수정했다.

화살촉이 노리는 목표는 조금 전 사자후를 터뜨렸던 바로 그 사내! 그리고 그 뒤에 있는 위지휘사사의 머리!

'두 명의 머리 정도야…….'

호랑이와 곰의 머리도 박살 낸 적이 있었다. 호신강기를 둘둘 휘감고 있던 사마외도의 몸을 산산조각 낸 적도 있었다. 그러니 겨우 저들 정도는.

철시십관이 호흡을 삼킨 채 한껏 시위를 당길 때였다.

"누구냐!"

그의 주변에 있던 동료들이 황급히 뒤를 돌아보며 낮은 목소리를 토해 냈다.

그들의 뒤쪽에서, 마치 수풀 속에서 잔뜩 몸을 웅크리고 있다가 먹이를 노리고 한 번에 크게 도약하여 날아오른 호랑이의 살기가 뿜어져 나왔던 것이다.

세 명의 동료들은 다급하게 칼과 검을 휘두르며 그 살기에 맞섰다.

하지만 느닷없이 튀어나온 검은 살기의 목표는 그들이 아니었다. 검은 살기는 곧바로 몸을 틀어 칼과 검의 궤적을 빠져나가, 그대로 철시십관의 등을 향해 칼을 내리쳤다.

'헛.'

칼을 맞은 통증과 충격에 호흡이 흩어졌다. 동시에 철시십관은 활시위를 당기던 손을 놓았다.

콰앙!

요란한 굉음과 함께 철화살이 활을 떠나 폭발하듯 날아갔다.

'이런.'

철시십관의 눈빛이 흔들렸다.

칼에 격중당하면서 호흡이 흔들렸던 것이다, 활시위를 놓는 마지막까지 제대로 힘을 주지 못한 까닭은.

철시십관은 자신의 사냥을 방해한 자가 누구인지 보고 싶었다. 그는 천천히 몸을 돌렸다.

그의 시야로 세 명의 동료와 마구잡이로 뒤엉켜서 싸우고 있는 젊은 청년의 얼굴이 들어왔다. 일순 철시십관의 눈빛이 파르르 떨렸다.

'네 녀석도 사냥꾼이로구나!'

철시십관은 청년의 정체를 단숨에 파악했다. 청년 역시 그와 같은 부류의 사냥꾼이었다. 분명 그런 냄새가 청년에게서 흘러나오고 있었다.

순간 청년의 칼이 동료의 목을 그었다.

"아악!"

처절한 비명이 터져 나왔다.

6장.

# 혼돈과 혼란의 남천로

그런데 이 소년은 자신의 부족함을 인정하고 그 부족함을 메우기 위해,
좀 더 발전하기 위해 각오를 다지고 있었다.
어쩌면 그 불굴의 의지야말로 무인에게 있어서 아니,
모든 사람에게 있어서 가장 필요한 덕목이 아닐까.

## 1. 활잡이

장예추는 용마루 뒤에 몸을 숨긴 채 건너편 삼 층 객잔 지붕 위에서 사내들이 소곤소곤 나누는 대화를 엿들었다.

'철시십관?'

취몽월영으로부터 들은 기억이 있었다.

무림십왕의 궁왕(弓王)에 가장 근접한 궁사(弓師)라고 했던가. 특히 폭렬신시(爆裂神矢)의 한 수는 천하일절이라고 했다.

당시 취몽월영은 그 폭렬신시의 수법을 설명하면서 천근 화약이 폭발하는 듯한 굉음으로 주변 사람들과 목표

대상의 정신을 어지럽게 만들고 이목을 흩어 놓는 순간, 빛보다 빠르고 섬전보다 파괴력이 강한 쇠화살이 대상의 몸을 관통하며 산산조각으로 만든다고 혀를 내둘렀다.

장예추는 눈을 가늘게 뜨고 철시십관의 뒷모습을 가만히 지켜보았다. 철시십관은 때마침 대궁을 꺼내 활시위를 조율하는 참이었다.

자신의 몸뚱어리보다 커 보이는 대궁이었다. 철시십관은 화살통에서 일반 화살을 꺼내려다가 문득 마음을 바꿨는지 그것의 두 배는 됨 직한 쇠화살을 얹고는 허공을 향해 시위를 당겼다.

'어라? 저건 무슨 행동…….'

장예추는 내심 고개를 갸웃거렸다.

장예추는 사냥꾼이었다. 그리고 사냥꾼의 덕목은 활이었다. 활을 잘 쏘는 자, 바로 그자가 제대로 된 사냥꾼이었다.

장예추도 청령산 시절, 활을 사용하여 제법 많은 짐승들을 잡은 적이 있는 사냥꾼이었다.

또한 그의 주변에는 누구보다도 뛰어난 활잡이들이 있었다. 그들 중에는 단 한 대의 화살만으로 멧돼지나 사슴, 심지어 호랑이나 곰까지 잡는 전문가도 있었다.

그러나 그런 장예추도 지금 철시십관처럼 저렇게 활시위를 당기고 하늘을 향해 조준하는 모습은 처음 보았다.

그래서였다. 장예추가 한발 늦게 뛰어든 것은.

장예추가 생전 처음 보는 광경에 살짝 당황하고 어리둥절해할 때였다.

문득 철시십관의 어깨가 평온해졌다. 활을 쏠 호흡이 완성된 것이다. 동시에 허공을 겨누던 화살촉이 빠르게 지면으로 향했다.

"이런!"

장예추는 다급한 나머지 저도 모르게 비명처럼 소리치며 지붕을 박차고 날아갔다. 삼 층 객잔 지붕 위에 있던 이들은 그 기척을 듣지 못할 자들이 아니었다.

장예추가 훌쩍 허공을 날라 삼 층 객잔의 지붕 위로 떨어지는 순간, 철시십관 주변에 있던 동료들의 칼과 검이 그의 몸을 난도질하고 있었다.

장예추는 순간적으로 취몽보(醉夢步)의 보법을 밟아 수십 가닥의 칼 줄기와 검 줄기를 피하면서 곧바로 철시십관의 등을 향해 칼을 내리그었다. 옷이 찢어지고 피부가 갈라지며 피가 사방으로 튀었다.

바로 그 순간.

콰앙!

격렬한 폭음과 함께 쇠화살이 시위를 떠나 지면의 강만리에게로 쏘아졌다.

"제기랄!"

장예추는 거친 욕설을 퍼부으며 철시십관을 향해 재차 칼을 휘두르려 했다.

하지만 그의 동료들이 가만 놔두지 않았다.

"이 자식이!"

"우리가 누군지 알고 이런 짓을 벌이느냐!"

그들은 한순간의 방심으로 인해 동료 철시십관이 부상당한 걸 치욕이라고 생각한 듯 더욱 격렬하고 날카로우며 매섭게 칼과 검을 휘둘러 장예추를 핍박했다.

'이러고 있을 시간이 없다!'

장예추는 정면에서 짓쳐들어오는 칼을 튕겨 내는 동시에 은형환무의 술법을 펼쳤다. 일순 그의 신형이 신기루처럼 그 자리에서 사라졌다.

사내들은 눈을 크게 뜨며 주춤거렸다.

"다들 주의해라! 놈의 마도의 인물이다, 사술을 사용하는……."

크게 소리치며 동료들의 주위를 환기시키던 사내의 앞에 벼락처럼 장예추가 모습을 드러냈다.

사내가 깜짝 놀라며 검을 내지르려는 순간, 장예추의 칼은 이미 사내의 목을 베고 있었다. 목이 반쯤 갈라진 피부 사이로 핏물이 꾸역꾸역 밀려 나왔다.

장예추는 사내의 팔을 휘감고 다짜고짜 집어던졌다. 두 명의 사내 중 한 명이 엉겁결에 날아든 동료를 받아 들었다.

그 틈을 놓칠 장예추가 아니었다. 그는 칼을 천공(天空) 높이 치켜들고는 일직선으로 내리쳤다.

날아든 동료를 받은 사내는 어찌할 바를 몰라 하고 황급히 옆으로 몸을 피했다. 그 바람에 마침 바로 옆에서 공격을 감행하려던 또 다른 동료의 발이 묶였다.

장예추는 그들을 아랑곳하지 않았다. 그는 지붕을 박차고 섬광천주의 신법을 발휘, 단숨에 철시십관의 코앞까지 진격했다.

동시에 그는 칼을 휘둘러 왼쪽에서 오른쪽의 허공을 일직선으로 베었다. 우르릉, 천둥 치는 소리가 일었다.

철시십관은 다급하게 대궁을 들어 그 일격을 막았다. 그러나 장예추의 패왕단섬폭은 그깟 대궁으로 막을 만한 공격이 아니었다.

우직! 하는 소리와 함께 대궁이 박살 나고, 대궁을 쥐고 있던 두 손이 잘려 나갔다.

장예추는 훌쩍 몸을 날려 철시십관의 머리를 가볍게 발로 밟고는, 그대로 지붕을 박차듯 그의 머리를 걷어차며 지붕 아래로 몸을 날렸다.

우두둑!

묵직한 소리와 함께 목뼈가 부러진 철시십관이 그대로 지붕에 꼬꾸라졌다.

"개자식, 죽어라!"

"이 자식, 어디로 도망치는 게냐!"

서로 발이 엉키는 바람에 주춤해야 했고, 그로 인해 철시십관이 그토록 허무하게 목숨을 잃는 광경을 속절없이 지켜봐야 했던 두 사내가 버럭 소리치며 장예추를 향해 검을 던지고 칼을 던졌다.

장예추는 이미 지붕에서 뛰어내렸지만 사내들이 던진 검과 칼은 마치 눈이라도 달린 듯 허공에서 방향을 틀며 장예추의 등을 향해 빠르게 날아들었다.

등 뒤에서 매섭게 날아드는 파공성!

'어검술(御劍術)?'

장예추의 귀가 쫑긋거렸다.

아니다. 어검술을 펼칠 정도라면 이렇게 간단하게 뚫릴 리가 없었다. 비검술(飛劍術)의 일종일 것이다.

그렇게 생각하는 것과 동시에 장예추는 내공을 운기, 팔을 뒤로 뻗어 칼을 휘둘러 칼과 검을 튕겨 냈다.

챙! 챙!

날카로운 소리와 함께 사내들이 던진 칼과 검이 내동댕이쳐졌다.

쿵!

요란한 소리와 함께 장예추의 두 발이 지면에 떨어졌다. 발바닥이 갈라지고 무릎이 파열되는 듯한 고통이 장예추의 전신을 휘감았다.

사내들의 전력이 실린 비검술을 막느라 내공이 분산되고 호흡이 흩어졌다. 그 바람에 지면에 내려설 때의 충격 일부분이 장예추의 내부를 진탕시킨 것이다.

하지만 장예추는 머뭇거리지 않았다. 지면에 발을 딛는 순간, 그 무릎이 박살 난 듯한 통증을 견디며 재차 지면을 박차고 강만리에게로 날아갔다.

"죽여라!"

"뭣들 하시오! 놈을 죽이시오!"

삼 층 객잔 지붕에서 두 명의 사내가 부르짖으며 몸을 날렸다.

바로 그때였다.

히히힝!

갑자기 거친 말 울음소리가 남천로 사방으로 퍼지더니, 위지휘사사의 진영 후미에 있던 마차가 거친 질주를 시작했다.

"위험하다!"

"피하라!"

"마부는? 마부는 뭘 하느냐?"

병사들은 사방으로 흩어지며 소리를 내질렀다.

마차는 요란한 소리를 내면서 병사들 사이를 달렸다. 마부석에는 겉옷으로 얼굴을 가린 자가 앉아 있었는데, 그는 연신 고삐를 흔들며 소리쳤다.

"피하시오! 말들이 미쳤소!"

행렬 후미에 있던 마차는 순식간에 강만리와 도원겸이 있는 선두까지 달려왔다.

도원겸은 연달아 벌어지고 있는 괴사(怪事)에 놀라고 당황하여 정신을 차리지 못하다가 하마터면 마차에 부딪힐 뻔했다.

강만리는 아슬아슬하게 손을 뻗어 도원겸을 잡아끌었고, 마차는 순식간에 도원겸의 곁을 스치듯 지나쳐 달려갔다.

미친 듯 마차가 질주하는 정면에는 수백의 무림인이 남천로를 가로막고 있었다. 무림인들은 무기를 빼 든 채 마차가 다가오면 단번에 말들의 목을 벨 것 같은 흉흉한 기세를 내뿜고 있었다.

그 순간, 갑자기 마부가 고삐를 낚아챘다. 정신없이 달리던 말들이 앞발을 높이 들었다. 달리던 속도를 제어하지 못한 마차가 한쪽으로 크게 기우뚱하더니, 그대로 옆으로 고꾸라졌다.

마차 문이 열리고 신형 하나가 섬전처럼 튀어나와 왼쪽 길가로 몸을 날렸다. 잔뜩 긴장한 눈빛으로 그 상황을 지켜보던 무림인들이 깜짝 놀라 소리쳤다.

"놓치지 마라!"

그렇게 마차에서 튀어나와 왼쪽 골목길을 향해 도망친

자가 누구인지, 무슨 목적으로 그리 행동하는지 곰곰이 따지고 생각할 겨를이 없었다.

무림인들은 그자의 뒤를 쫓아 곧장 몸을 날리려 했다.

바로 그때, 마부가 무슨 짓을 했는지 재갈과 고삐가 풀린 네 필의 말이 긴 울음을 토하며 무림인들을 향해 질주했다.

마부는 그 틈을 노려 역시 오른쪽 골목을 향해 훌쩍 몸을 날렸다. 조금 전 사라졌던 신형처럼, 아니 그보다 몇 배는 더 뛰어나 보이는 경공술이었다.

"무림의 고수다!"

"놈들을 놓치지 마라!"

네 필의 말이 미친 듯 날뛰는 가운데 무림인들이 마구 소리치며 그들의 뒤를 뒤쫓았다.

그 와중에 몇몇 무림인의 칼이 말들의 목을 뎅강 베었다. 말들이 풀썩 넘어지고 쓰러지는 가운데, 피가 분수처럼 뿜어져 나왔고 먼지가 사방을 뒤덮었다.

지켜보던 강만리가 크게 외쳤다.

"대명의 장사 위지휘사사가 국명을 받들어 임무를 수행하는 중이다! 앞길을 가로막는 자는 반역의 죄를 물어 본인은 물론 삼족과 사문까지 멸한다!"

다시 한번 그의 사자후가 쩌렁쩌렁 울려 퍼졌다. 무림인들은 고함을 지르고 쓰러진 말은 아직도 피를 흘리고 있었다.

삼 층 객잔 지붕에서 뛰어내린 두 명의 사내는 악을 쓰며 장예추의 뒤를 쫓았다. 장예추는 강만리를 향해 빠르게 달려왔다. 먼지가 구름처럼 피어올랐다.

그야말로 혼돈에 가득 찬 아수라장이었다.

그래서였다.

한쪽으로 나뒹군 마차에서, 커다란 짐꾸러미를 등에 진 조그만 신형 하나가 엉금엉금 기어 나와 오른쪽 골목길로 도주하는 걸 본 무림인은 아무도 없었다.

## 2. 때가 되면

"때가 되면 마차를 질주시켜라. 장내를 혼란과 혼돈 속에 빠뜨릴 터이니, 그 틈을 노려 아호를 안가로 보내도록 해."

그게 강만리가 선두로 돌아가기 전에 남긴 마지막 말이었다.

"참, 말도 짧다니까. 그렇게만 말하면 때가 언제인지 우리가 어떻게 알 수 있는데?"

설벽린은 커다란 짐꾸러미를 싸던 와중에 문득 마차 밖 상황을 살피며 투덜거렸다.

무슨 일인지는 몰라도 지금은 진군이 멈춰 있는 상태. 저 앞쪽에서 병장기 부딪치는 소리와 고함이 들려오고는 있었지만, 그게 무슨 상황인지는 이 행렬 후미의 마차 안에서 알 도리가 없었다.

"설마 지금 이 상황이 바로 그때일까?"

"그건 아닌 것 같다."

설벽린의 말에 만해거사가 고개를 저었다.

"강 장주의 '때'라는 건 아마도 혼란과 혼돈이 극에 달하는 순간을 말하는 걸 거야. 모든 게 뒤엉키고 정신조차 차릴 수 없게 되는 순간, 그 혼돈과 혼란의 틈을 이용하여 우리더러 움직이라는 거겠지."

"하지만 그런 때가 어떻게 오는데요?"

설벽린은 의아하다는 표정을 지으며 말했다.

"설마 큰 싸움이 벌어지는 겁니까? 이 병사들과 금해가의 무리들이 혈전을 벌이기도 한다는 겁니까?"

"글쎄. 그야 나도 모르지. 강 장주에게 무슨 속셈이 있는지는……."

만해거사가 재차 고개를 저을 때였다.

강만리의 사자후가 쩌렁쩌렁하게 들려왔다. 만해거사와 설벽린조차 귀청이 찢어질 것 같은 충격에 인상을 찌푸릴 정도로 강렬하고 힘이 실린 사자후였다.

만해거사는 인상을 찡그린 채 강만리의 사자후를 듣다

가 고개를 끄덕였다.

"아주 제대로 짚었군그래. 아무리 무림인이라 하더라도 확실히 반역이라는 단어가 들어가면 움찔하기 마련이지."

아니나 다를까, 저 앞쪽에서 들려오던 소음이 멈췄다.

그때 귀를 막고 있던 담호가 물었다.

"그런데 누가 싸우고 있던 건가요? 저 앞쪽으로는 금해가와 태극천맹 사람들밖에 없을 텐데요."

"그러니까 짜고 치는 도박인 게다. 놈들은 우리가 안가 쪽으로 가지 못하도록, 멀리 우회하라고 압력을 주려는 게야. 그래서 거짓으로 싸우는 흉내를 내고 있었을 테고."

만해거사는 간단하게 설명했고, 담호는 눈을 동그랗게 뜨며 말했다.

"괜찮은 계획이네요, 그들 입장에서 보면요. 미치광이처럼 싸워 대는 무림인들 사이를 뚫고 지나가는 건 확실히 위험 부담이 클 테니까요."

"그렇지. 그런데 강 장주가 '반역'이라는 말 한 마디로 저들을 옴짝달싹하지 못하게 만든 게야. 아무리 천방지축, 독불장군인 무림인들이라고 하지만, 그래도 반역이나 역모라는 말에는 취약할 수밖에 없으니까."

만해거사가 그렇게 말할 때였다.

콰앙!

갑자기 수천 근의 화약이 터지는 듯한 굉음이 앞쪽에서 들려왔다.

곧이어 비명과 고함이 연달아 들려왔다. 조금 전 저 앞쪽 멀리에서 들려왔던 소리와는 질적으로 다른, 생사가 오가는 비명이었고 목이 터져라 내지르는 절규였다.

"지금이 바로 그때로구나!"

설벽린이 눈빛을 반짝이며 소리치는 순간, 만해거사가 겉옷을 벗어 머리 위로 둘러쓰고는 곧바로 창을 통해 미끄러지듯 밖으로 나갔다.

만해거사는 곧장 마부석으로 몸을 날려, 입을 벌리고 전면 상황을 지켜보던 마부를 밀어내고는 곧장 채찍을 휘둘렀다.

"이랴!"

만해거사의 거센 채찍질에 말들은 거친 울음을 토해 내며 미친 듯이 질주하기 시작했다. 느닷없는 마차의 질주에 놀란 주변 병사들이 마구 비명을 지르며 황급히 피했다.

마차 안의 설벽린이 담호를 향해 짐꾸러미를 건네며 빠른 어조로 말했다.

"아마 만해 사부는 안가로 향하는 골목길 입구에서 마차를 뒤집을 거다. 그 순간 나와 만해 사부는 왼쪽으로 도망치면서 놈들의 이목을 끌 터이니, 너는 마차를 빠져나가 오른쪽 골목으로 달려가거라."

"알겠어요."

담호가 제 몸뚱어리만 한 짐꾸러미를 등에 지며 힘주어 대답할 때였다. 미친 듯이 질주하던 마차가 갑자기 크게 요동쳤다.

"지금이야."

설벽린이 담호를 보며 말했다.

"조심해야 한다."

"네."

바로 그 순간, 마차가 뒤집혔다. 동시에 설벽린은 마차 문을 박차고 뛰어나가 왼쪽 거리로 사라졌다.

만해거사도 채찍을 칼날처럼 휘둘러 말들의 재갈과 고삐를 잘라 내고는, 설벽린의 뒤를 좇아 왼쪽으로 몸을 달렸다.

말들이 미친 듯 울음을 토해 내며 앞으로 달려 나가는 가운데, 앞쪽의 무림인들이 정신없이 고함을 지르며 설벽린과 만해거사의 뒤를 좇았다.

"고수들이다!"

"놈들을 놓치지 마라!"

아비규환의 혼란 속에서 강만리가 다시 사자후를 터뜨렸다. 일류급 이상의 고수들조차 휘청이고 비틀거리게 할 정도로 강력한 사자후였다.

짐꾸러미를 진 담호는 얼굴을 찌푸린 채 서둘러 마차 밖으로 기어 나왔다. 그는 지면에 바짝 엎드린 채 주변 상황을 살피고는 곧바로 몸을 날려 왼쪽 골목으로 뛰어들었다.

워낙 혼란스럽고 혼돈 가득한 상황인지라 무림인들 중 담호의 움직임을 알아차린 이는 아무도 없었다. 심지어 도원겸을 비롯한 병사들 역시 설벽린과 만해거사가 사라진 왼쪽 거리로 시선을 집중하고 있었다.

오직 한 사람, 강만리만이 담호의 움직임을 지켜보았다. 그런 강만리를 향해 삼 층 객잔에서 뛰어내린 장예추가 빠르게 달려왔다.

장예추와 시선이 마주친 강만리는 고개를 저으며 손을 들어 담호를 가리켰다. 그의 손은 아직도 쇠화살이 꽂혀 있었다.

장예추는 무심결에 강만리의 손길을 따라 고개를 돌렸다. 막 마차에서 기어 나와 왼쪽 골목으로 뛰어가려는 담호의 모습이 그의 시야에 들어왔다.

순간 장예추는 강만리가 보여 준 행동의 의미를 파악했다. 그는 고개를 끄덕이면서 빠르게 몸을 돌렸다. 그러고는 자신의 뒤를 쫓아 달려오고 있는 두 명의 사내를 향해 일직선으로 달려갔다.

사내들이 옳다구나, 하면서 맹렬한 기세로 칼과 검을 휘둘렀다. 날카롭고 매서운 검기가 사방으로 흩뿌려졌다.

순식간에 사방팔방을 휘감아 에워싸는 일격! 어디에도 도망갈 구석도 피할 공간도 없는 파상적인 공세!

바로 그때, 장예추의 칼이 뱀처럼 미끄러지면서 앞으로 뻗어 나갔다. 공간과 공간 사이를 헤집고, 초(招)와 식(式)이 이어지는 그 찰나의 틈을 뚫고 상대의 멱을 긋고 심장을 찌르는 칼날!

남궁세가가 자랑하는 제왕검해(帝王劍解)의 정수(精髓)가 지금 장예추의 손끝에서 화려하고 정밀하게 피어올랐다.

"컥!"

"큭!"

나름대로 강호에서 알아주는 무명(武名)을 지닌 두 중년 사내의 입에서 비참한 신음이 튀어나왔다.

두 명의 중년 사내들이 믿을 수 없다는 듯 눈을 크게 뜨고 비틀거리는 순간, 장예추는 순식간에 그들의 곁을 스치듯 지나치며 재차 칼을 휘둘러 단번에 목을 베었다.

잘려 나간 목이 허공으로 높이 날아올랐다가 몇 바퀴나 회전하면서 땅에 떨어졌다. 뒤늦게 목 잘린 몸뚱어리에서 핏물이 분수처럼 뿜어져 나왔다.

그때는 이미 장예추의 신형이 골목 안쪽으로 사라진 후였다.

"으헉!"

도원겸이 헛바람을 집어삼키며 황급히 고삐를 잡아당겼다.

바로 코앞까지 젊은 청년이 다가온다 싶더니 이내 몸을 돌려 두 명의 목을 단숨에 베고는 홀연히 사라졌다.

그리고 거의 동시에, 잘린 목은 허공을 날아 바로 도원겸이 타고 있는 말 앞에 떨어졌고, 그 바람에 놀란 말이 앞발을 높이 들며 울음을 토한 것이다.

하마터면 말에서 떨어질 뻔한 도원겸은 다급히 말을 안정시킨 후 강만리를 돌아보며 입을 열었다. 떨리는 목소리가 다급하게 흘러나왔다.

"방금 그 사람은 무엇입니까?"

강만리는 이 혼돈의 상황 속에서도 한 점 표정 변화 없이 차분한 어조로 말했다.

"도 위지휘사는 알 필요 없는 사람이오."

"하지만……."

"지금 그게 중요한 게 아니오."

강만리는 딱 잘라 말했다.

"이 혼란한 상황에서 위지휘사의 군대가 아무런 피해를 보지 않아야 한다는 점이 가장 중요하오."

"그, 그럼 어찌해야 합니까?"

"이런 아수라장 속을 뚫고 지나갈 수는 없는 노릇, 그렇다고 저 무뢰한들의 요구대로 먼 길을 우회할 수도 없소. 그러니 예서 기다리면서 최대한 빨리 저 혼란이 가라앉도록 본 군대의 위엄을 보여 줘야 하오."

"하지만 무작정 기다릴 수는……."

"보시오."

강만리는 손을 들어 정면을 가리키며 말했다.

"무림인들은 이미 지휘 체계를 잃고 우왕좌왕하고 있소. 무엇보다 조금 전까지 죽일 듯 서로 싸우던 자들끼리 함께 어깨를 맞대고 움직이는 중이오. 즉, 놈들은 모두 한패였으며, 또한 조금 전의 난투 상황은 그저 우리를 우회시키고자 만든 계략이었다는 뜻이오. 이거야말로 국법을 어지럽히고 나라의 군대를 기망(欺妄)하려는 몰지각한 계략이 아니지 않겠소?"

"으음."

"그러니 군의 위엄을 보여서 놈들을 굴복시키고 물러나게 해야 하오."

"그러니까 어떻게 해야……."

"전군을 제자리에서 타각(跺脚)하게 하여 적의 기세를 꺾으시오. 계속해서 북을 두드리고 나팔을 울리시오. 선두의 병사에게 끊임없이 소리치게 하시오. 저들을 혼란

케 하여 더 이상 계략을 꾸밀 수 없도록 만들면 결국 스스로 물러나게 될 것이오."

도원겸은 강만리의 조언에 따라 크게 외쳤다.

"북을 두드리고 나팔을 울려라! 전군은 그 자리에서 북소리에 맞춰 타각하라! 전언병(傳言兵)은 계속하여 외쳐라!"

둥! 둥!

그의 지시가 떨어지자마자 북소리가 울려 퍼지고 나팔소리가 뒤를 이었다. 오천육백의 병사가 그 북소리에 맞춰 힘껏 발을 굴렀다.

쿵! 쿵!

무려 오천육백 명의 병사가 일시에 내지르는 발 구름이었다. 땅이 꺼질 것만 같았고 주변 건물이 우르르 흔들렸다.

거기에 선두의 전언병이 목이 터져라 외치기 시작했으니, 가뜩이나 혼란한 상황에 기름을 붓는 격이 되었다.

"반역의 죄를 물기 전에 모두 물러나라!"

## 3. 계획

빠르게 골목 안쪽으로 경공술을 펼치던 담호는 문득 등뒤로 다가오는 파공성을 느꼈다.

'적?'

담호는 뒤를 돌아보지도 않은 채 반사적으로 손을 뻗어 장력을 발출하려 했다.

바로 그때였다.

"나다."

귀에 익은 목소리가 들렸다. 담호는 황급히 손을 거둬들이며 뒤를 돌아보았다. 어느새 장예추가 훌쩍 날아와 담호의 곁을 나란히 달리며 입을 열었다.

"공격하기 전에 상대를 확인해야지."

"죄송합니다."

담호의 얼굴이 빨갛게 물들었다.

워낙 다급하고 초조한 상황이었다. 뒤쫓아 오는 이가 누구인지 확인할 생각도, 그런 겨를도 없었다.

하지만 그건 어디까지나 담호의 생각일 뿐이었다. 노련하고 경험이 많은 자라면 손을 뒤로 뻗는 동시에 고개를 돌려 상대를 확인했을 것이다.

확인도 하지 않은 채 무작정 손부터 뻗은 그 찰나의 부주의로 인해 하마터면 아군을 다치게 하거나 중상을 입힐 수도 있었다.

"그런데 여기는 무슨 일이냐?"

장예추는 주변 기척을 살피며 물었다.

그가 펼치는 경공술의 속도는 담호의 그것보다 훨씬 빨

랐다. 담호는 뒤처지지 않기 위해 안간힘을 써야 했고, 그로 인해 쉽게 입을 열 수가 없었다.

장예추는 힐끗 뒤를 돌아보고는 빠르게 손을 뻗어 담호를 들어 제 등에 업었다. 부지불식간에 장예추의 등에 업힌 담호의 얼굴이 더욱더 붉게 달아올랐다.

"창피하다고 생각하지 마라. 나는 너보다 훨씬 더 강하니까. 강한 자에게 기대는 건 부끄러운 일이 아니다."

장예추는 그렇게 말하며 힘차게 경공술을 펼쳤다. 세찬 바람이 담호의 얼굴에 부딪쳤다.

담호는 입술을 깨물었다.

'아직 부족한 게 많구나.'

나름대로 많은 걸 배우고 익히고 노력했다고 자부했다. 심지어 고굉마저 일격에 쓰러뜨리고, 침입자도 해치웠으니까.

이 정도면 충분히 한 사람의 몫을 해낼 수 있으리라 자부했다. 또 그래서 이번 일을 맡겠다고 스스로 나섰으니까.

하지만 부족해도 너무 부족했다.

장예추가 지금 달리는 속도는 조금 전 담호가 전력을 다해 뛸 때보다 두 배 이상 빨랐다.

내공과 큰 상관이 없다는 경공술만으로도 그 정도 차이가 났으니 일반 무공은 얼마나 차이가 날까. 두 배, 세 배? 아니면 다섯 배?

'나야말로 우물 안 개구리였구나.'

담호는 하마터면 자괴감에 빠질 뻔했다. 하지만 다음 순간 그는 고개를 휘휘 내저으며 생각을 고쳤다.

'아니지. 장 숙부나 다른 숙부들 모두 아버지와 비교해도 그리 뒤떨어지지 않는, 그야말로 무림 최고수들이라고 해도 과언이 아니잖아? 당연히 나보다 세 배, 다섯 배, 아니 열 배 이상 강한 분들이야. 괜히 기가 죽거나 부끄러워할 필요가 없어. 그럴 시간에 좀 더 노력해야지. 아직 그래도 되는 나이라고, 나는.'

담호의 얼굴빛이 원상태로 돌아왔다.

장예추는 안가를 향해 경공술을 펼치면서 담호를 힐끗 돌아보았다. 그는 담호의 표정만 보고서도 무슨 생각을 하는지 충분히 알 수 있었다.

'호오. 역시 평범한 녀석이 아니라니까.'

스스로의 부족함을 인정하는 것만큼 어려운 일이 없었다. 자신이 강하다는 걸 알고 자신을 신뢰하는 이라면 더더욱 힘든 일이었다.

그런데 이 소년은 자신의 부족함을 인정하고 그 부족함을 메우기 위해, 좀 더 발전하기 위해 각오를 다지고 있었다.

어쩌면 그 불굴의 의지야말로 무인에게 있어서, 아니 모든 사람에게 있어서 가장 필요한 덕목이 아닐까.

"숙부들께 우리가 악양부에 왔다는 걸 알려 드리려고 이렇게 찾아왔어요."

담호가 말했다. 장예추는 저도 모르게 피식 웃었다.

이미 강만리를 본 이후였다. 그러니 굳이 담호가 이런 고생을 하지 않아도 되는 일이었다.

"고생했다."

"그리고 숙부들을 모시고 돌아오라고 했어요."

"음?"

"강 숙부께서 숙부들이 돌아올 때까지 그곳에 버티고 계신다고 하셨거든요."

"으음."

장예추의 눈빛이 반짝였다.

대충 어떤 계획인지 머릿속에 그려졌다.

"그 짐이더냐?"

그가 묻자 담호가 대답했다.

"네. 이 짐이에요."

"좋아. 그럼 최대한 빨리 이곳을 벗어나자꾸나."

장예추는 달리는 속도를 높였다.

* * *

"허어."

천호대군은 어이가 없었다.

전쟁통도 이런 전쟁통이 없었다.

거짓 싸움을 벌이는 와중에도, 만에 하나 일어날지도 모르는 사고를 대비하여 제대로 진영을 갖추고 있었다.

동시에 삼 층 객잔 지붕에 철시십관이라는 뛰어난 궁사와 보조할 고수들을 배치, 언제든지 위지휘사를 암습할 준비를 끝낸 상황이었다.

—어떻게든 위지휘사사의 군대를 우회시키도록. 만약 그게 실패로 돌아가는 즉시, 누구도 모르게 위지휘사를 암습하여 군대의 지휘 체계를 무너뜨리고 혼란에 빠뜨려 퇴각시키도록 하라.

금해가주 초일방의 전언이었다.

전서구를 통해 날아든 그 전언에는 최대한 누가 암습했는지 모르게 하라.

암습한 자가 밝혀지는 즉시 꼬리를 자르도록 하라. 절대 이번 일이 금해가와 연관이 있다는 걸 알 수 없도록 하라.

행여 들통이 날 상황이면 모든 걸 태극천맹의 짓으로 돌리도록 하라 등등의 지시가 첨부되어 있었다.

천호대군은 그 지시에 따라 행동하고 진영을 짰다. 앞

쪽에는 태극천맹의 무사들을 두어 자칫 일이 터질 경우, 그들과 위지휘사사의 군대가 싸우게끔 조절해 두었다.

또한 철시십관에게는 일반 화살을 사용하라고 지시를 해 두었다. 사실 쇠화살을 사용하는 궁사는 그리 많지 않았으니까. 그것도 쇠뇌가 아닌 일반 대궁으로 쇠화살은 사용하는 이는 세 손가락에 꼽을 정도였으니까.

하지만 위지휘사사의 군대와 마주한 순간부터 일을 뒤틀리기 시작했다. 무엇보다 저들이 쉬지 않고 떠들어 대는 '반역'이라는 단어가 태극천맹은 물론, 금해가의 무사들에게까지 영향을 미쳤다.

천호대군은 안 되겠다 싶어 곧바로 철시십관에게 신호를 보냈다. 그런데 철시십관은 무슨 생각을 했는지 일반 화살이 아니라 쇠화살로 암습을 시도한 것이다.

느닷없이 터져 나온 폭발음 소리에 놀라고 당황한 건 위지휘사사의 군대뿐만이 아니었다. 진영을 갖추고 있던 태극천맹과 금해가 무사들도 화들짝 놀라야 했다.

거기에 삼 층 객잔 지붕에서부터 터져 나온 비명과 고함, 별안간 광란의 질주를 벌이기 시작한 마차.

천호대군이 준비한 모든 것들이 그로 인해 일그러지고 무너져 내렸다.

천호대군이 초조하여 발을 구를 무렵, 마차가 엎어지고 풀린 말들이 사방으로 날뛰는 가운데 두 명의 신비인들이 마차를 박차고 도망쳤다.

누군가 그들을 보고 뒤쫓으라고 고함을 질렀고, 반수 이상의 전력이 그 뒤를 쫓았다. 천호대군이 기껏 짜 두었던 진영은 그렇게 무너졌다.

"먼저 말부터 죽여라!"

천호대군의 외침에 정신을 차린 금해가의 무사들이 칼과 검을 휘둘러 말의 목을 베고 다리를 잘랐다. 말들은 구슬피 울며 쓰러졌다.

먼지가 한 움큼 피어오르는 가운데, 갑자기 북소리와 나팔소리가 울려 퍼졌다. 뒤이어 오천육백 명이 동시에 타각하는 발 구름 소리가 쿵! 쿵! 웅장하고 위협적으로 퍼져 나갔다.

게다가 저 빌어먹을 전언병은 악다구니를 쓰며 연신 반역자니 사문을 멸하겠다느니, 하는 온갖 협박을 늘어놓고 있었다.

평소 군관이라면 코웃음을 치는 무림인들이지만 그래도 반역과 역모라는 단어에는 어쩔 수 없이 취약할 수밖에 없었다. 남아 있던 태극천맹과 금해가 무사들은 어쩔 줄 몰라 하며 천호대군의 눈치를 살폈다.

"허어."

천호대군은 다시 한번 탄식했다.

그 역시 이렇게 상황이 급변할 거라고는 전혀 예상하지

못했던 것이다.

"이제 어찌해야 합니까?"

"명을 내려 주십시오!"

부관들이 서둘러 달려와 다급하게 물었다. 천호대군은 이를 악물었다.

예서 저 위지휘사사와 진심으로 싸우게 되면 그야말로 반역의 죄를 짓게 될 수도 있었다. 물론 그렇게 되면 금해가주 초일방의 지시대로 모든 걸 태극천맹에게 뒤집어씌우고 금해가는 뒤로 빠져야 했다.

하지만 그렇게 오롯이 자신들만 반역의 죄를 짓게 된 태극천맹 무사들이 가만히 있을까.

심지어 초일방 역시 전면전만큼은 하지 말라고 신신당부했다. 그러니 전면전은 벌이지 않되, 모든 죄를 태극천맹에게 뒤집어씌울 방법을 생각해야 했다.

심각한 표정을 지은 채 빠르게 머리를 굴리던 천호대군의 입이 마침내 열렸다.

"금해가의 무사들은 은밀하게 퇴각한다."

"네?"

"지금요?"

부관들의 눈이 휘둥그레졌다. 천호대군이 빠른 어조로 말했다.

"태극천맹 무사들에게 들키지 않도록 은밀하고 빠르

게, 이곳에서 약 이 리 정도 떨어진 후미까지 퇴각하여 몸을 숨기고 상황을 지켜보기로 하자."

부관들은 서로 눈치를 살피다가 앞다퉈 말했다.

"존명!"

7장.

# 젠장, 방심했어

"우리는 천하의 구천십지백사백마다!
생각 같아서는 군대고 뭐고 모두 죽여 버리고 싶지만
그래도 나라를 위해 싸우는 놈들이니 이 정도에서 용서하마!
썩 물러나라!"

## 1. 아무 말 하지 않는 거다

장예추는 빠르게 안가로 돌아왔다.

안가가 있는 골목길로 접어든 그는 갑자기 걸음을 멈추고 자세를 낮췄다. 골목길에 누군가 홀로 서 있었던 것이다.

'저건?'

침입자일지도 모르는 인물을 노려보는 장예추의 눈빛에 살기가 스며들었다.

하지만 그건 잠시뿐이었다. 이내 장예추의 눈이 휘둥그레지고 그의 입에서는 엉뚱한 이름이 튀어나왔다.

"군악?"

그랬다. 지금 골목길에 홀로 서서 허우적거리고 있는 자는 다름 아닌 화군악이었다.

그는 술에 취한 듯, 혹은 몽유병에 걸린 듯, 혹은 보이지 않는 투명한 미로에 갇힌 듯 이리저리 비틀거리며 제자리를 맴돌고 있었다.

"어? 화 숙부?"

장예추의 등에 업혀 있던 담호도 화군악을 발견하고는 깜짝 놀라며 물었다.

"화 숙부는 왜 저러고 있어요?"

장예추는 쓴웃음을 흘리며 대답했다.

"진법에 갇힌 게다."

"진법이요?"

담호는 다시 한번 놀라며 골목길 주변을 둘러보았다.

평온하고 고즈넉한 골목길이었다. 풍경이 일그러져 보이지도 않았고, 특별히 어색하거나 부자연스러워 보이는 곳도 없었다. 어디에서고 볼 수 있는 평범한 골목길이었다.

오로지 그 평범한 골목길 한가운데 서서 팔을 휘저으며 어찌할 바를 몰라 하는 화군악만이 평범하지 않을 뿐이었다.

담호는 믿기 힘들다는 표정을 지으며 말했다.

"누군지는 모르겠지만 진법에 상당한 조예가 있는 사

람이 만들었나 보네요. 전혀 모르겠어요, 나는."

장예추는 저도 모르게 미소를 지었다.

"해시봉안진이라는 진법이지. 신기루를 일으켜 시야를 봉인한다는, 뭐 그런 별것 아닌 진법이다."

"네?"

담호의 눈이 휘둥그레졌다.

"설마 저 진법을 장 숙부가 만드셨어요? 우와."

"별거 아니라니까."

장예추는 억지로 미소를 집어삼키며 가볍게 헛기침을 한 후, 다시 화군악을 바라보며 중얼거렸다.

"뭐, 물론 그 별거 아닌 진법에 갇혀서 빠져나오지 못하는 녀석도 있기는 하지만."

골목길 어귀에서 쭈그리고 앉아 있던 장예추는 벌떡 일어서며 말했다.

"그럼 저 멍청한 녀석을 구하러 가야겠지?"

"아."

담호는 그제야 아직도 자신이 장예추의 등에 업혀 있다는 걸 알아차린 듯 얼굴을 붉게 물들이며 입을 열었다.

"이제 내려 주셔도 될 것 같아요."

"아니다."

장예추는 담호를 업은 채 골목길 안쪽으로 성큼성큼 걸어가며 말했다.

"너마저 진법 안에 갇히게 되면 정말 곤란하게 되니까 말이지."

담호의 얼굴이 더욱 붉어졌다.

장예추는 그를 업은 채 갑자기 술에 취한 듯 이리저리 비틀거리며 걷기 시작했다. 담호는 이상하다는 표정을 지었지만 이내 무슨 영문인지 알겠다는 듯이 고개를 끄덕였다.

'이 걸음걸이가 바로 해시봉안진이라는 이 진법의 파훼법인가 보다.'

그렇게 생각한 담호는 장예추의 발걸음을 더욱 세밀하고 예리하게 관찰하기 시작했다.

장예추는 몇 번이나 갈지자(之字)를 반복하면서 앞으로 나아갔다가 뒤로 물러나기를 여러 차례 반복하다가, 문득 아무것도 없는 텅 빈 공간을 향해 손을 내뻗었다.

"어억!"

놀란 화군악의 목소리와 함께, 마치 투명한 공간 사이를 비집고 나타나듯 불쑥 화군악이 끌려 나왔다.

"누구…… 아, 예추, 너로구나."

화군악은 다짜고짜 주먹을 휘두르려다가 자신을 끌어당긴 이가 장예추인 걸 확인하고는 안도의 한숨을 내쉬었다. 그러고는 곧바로 벌게진 얼굴로 말을 이었다.

"이거, 누구에게도 말하면 안 된다."

장예추는 웃음을 참으며 물었다.

"이거 뭐? 진법에 갇혀서 허둥거린 거?"

"그만 놀려…… 어라? 아호가 여기는 웬일이냐?"

뒤늦게 담호를 발견한 화군악이 놀라 물었다. 담호는 장예추의 등에 업힌 채 꾸벅 인사했다.

"오랜만에 뵙습니다, 화 숙부."

"아니, 그래. 오랜만이다. 그런데 다치기라도 한 거야? 왜 예추에게 업혀 있지? 그리고 여긴 어떻게 온 거고?"

"너처럼 진법에 갇힐까 봐 업은 거다. 그리고 여기에 온 이유는 들어가서 설명하마."

장예추가 담호 대신 대꾸하고는 화군악의 손을 잡았다. 화군악이 움찔거리자 장예추가 눈살을 찌푸리며 말했다.

"또 갇히기 싫으면 내 뒤에서 내 걸음을 따라와."

장예추는 다시 비틀거리듯 걷기 시작했다. 화군악은 그의 손을 꼭 붙잡은 채 발자국을 따라 걸으며 변명하듯 말했다.

"야. 네가 만든 진법, 정말 대단하더라. 저 안의 칠성환영진과는 비교가 안 될 정도로 뛰어난 진법이라니까. 그래도 나니까 그나마 버티고 있었지 다른 사람이라면 아예……."

"풍뇌산인은 쉽게 파훼하더군."

"응? 아, 풍뇌산인? 그야 그 작자는 원래 진법에 해박

했으니까. 나처럼 진법에 문외한일 경우를 말하는 거지. 그건 그렇고, 누구에게도 말하면 안 된다? 알겠지? 아호, 너도 마찬가지고. 절대로 네 아버지나 어머니, 다른 식구들에게 말하면 안 된다. 알겠지?"

"네. 아무 말도 하지 않을게요."

담호는 대충 그렇게 대답하면서 장예추의 움직임에 정신을 집중했다.

사실 담호는 아직 진법에 대해서 배운 바가 없었다. 물론 흥미는 있었다. 그래서 유 노대나 만해거사에게 진법을 가르쳐 달라고 부탁한 적도 있었다.

하지만 그들은 고개를 저었다. 구궁(九宮)이나 팔괘(八卦)의 묘리를 이해하고 깨우치기 위해 시간을 보내는 것보다는 아직은 담호가 무공 수련에 좀 더 집중해야 한다는 게 그들의 논리였다.

물론 담호는 그들의 이야기에 수긍했고 진법은 훗날의 숙제로 미뤄 두었다. 그렇다고 해서 진법에 대한 호기심이나 탐구심이 사라진 건 아니었다.

그런 까닭에 이렇게 장예추가 진법을 파훼하는 발걸음을 보는 것만으로도 담호의 가슴이 두근거리는 것이었다.

얼마나 시간이 흘렀을까.

"그러니까 그게 말이지. 처음에는 쉽게 빠져나갈 거라

고 생각했거든? 왜, 칠성환영진도 수월하게 통과했잖아? 너도 봤잖아? 그런데 이건 전혀 다르더라고. 한 번 길을 잃고 헤매게 되니까……."

여전히 화군악의 변명이 이어지는 가운데 장예추는 그의 손을 잡고 담호를 업은 채 해시봉안진을 지나 안가의 대문 안쪽, 칠성환영진까지 통과했다.

"이제 됐다."

어느새 마당을 지나 객청 입구에 당도한 장예추가 그렇게 말하며 담호를 내려 주었다. 담호는 쑥스럽고 부끄러운 심정을 감추기 위해 얼른 고개를 숙이며 말했다.

"고맙습니다, 장 숙부."

"고맙기는. 자, 들어가자."

장예추의 말에 화군악이 뒤늦게 그의 손을 뿌리치며 말했다.

"아무 말도 하지 않는 거다."

장예추는 피식 웃었다. 화군악의 눈이 커졌다.

"응? 그건 무슨 의미인데? 무슨 뜻으로 그렇게 웃는 건데?"

장예추는 아무 말 없이 객청 문을 열었다. 담호가 먼저 객청 안으로 들어섰다.

"어라? 이게 누구야?"

"아니, 진짜 네가 왜 이곳에 있는데?"

객청에 앉아서 차를 마시고 있던 사람들이 모두 담호를 돌아보고는 깜짝 놀라 물었다. 담우천 곁에 앉아 있던 나찰염요가 한달음에 달려가 담호를 와락 껴안으며 물었다.

"아니, 네게 어떻게 여기까지 온 거야? 다친 데는 없고?"

담호는 큰엄마의 격렬한 포옹이 부끄러웠는지 얼굴을 상기한 채 서 있다가 가만히 그녀를 밀어냈다. 그러고는 두 손을 모으고 허리를 숙이며 인사했다.

"오랜간만에 뵙습니다, 큰엄마."

"아니, 인사는 됐다. 얼른 이리 와서 앉아라. 앉아서 이야기하자꾸나."

나찰염요는 담호의 손을 잡고 자신의 옆자리로 끌고 갔다. 담호가 조심스레 자리에 앉았다.

뒤따라 들어온 장예추와 화군악도 빈자리를 찾아가 앉았다. 그러는 와중에도 화군악은 눈을 부라리며 장예추에게 무언의 협박을 하고 있었다

"어머나. 이게 무슨 일이니? 어떻게 예까지 온 거야?"

나찰염요는 담호의 얼굴을 들여다보면서 했던 말을 반복하고 또 반복했다. 담호는 조금은 자랑스럽다는 듯, 조금은 쑥스럽다는 듯 살짝 상기된 표정으로 말했다.

"강 숙부, 설 숙부, 그리고 만해 할아버지와 함께 왔어요."

"아니, 그분들은 무슨 생각으로 이 어린아이를 예까지 데리고 온 거야? 애가 다치기라도 하면 어쩌려고……."

"화평장 식구들 모두 성도부를 떠난 게냐?"

나찰염요가 성난 듯 투덜거릴 때, 담호가 들어와서 자리에 앉을 때까지 아무 말도 하지 않던 담우천이 불쑥 입을 열어 물었다.

"네, 아버지."

담호는 황급히 대답했다.

"작은엄마를 비롯한 다른 식구들은 마차를 타고 북해빙궁으로 향했어요. 그리고 우리는 아버지와 숙부들을 구하기 위해……."

"너도 마차에 있어야 했을 것 같은데?"

오랜만에 봐서 반갑다는 소리도 없었다. 이 험한 곳에 왜 네가 왔느냐는 말도 하지 않았다. 그래도 예전보다는 아들과의 대화가 어색하지 않다고는 하지만 여전히 담우천의 목소리는 무뚝뚝하고 사무적이었다.

담호는 시무룩한 표정을 지으며 고개를 숙였다.

"죄송해요. 몰래 빠져나왔어요. 저도 충분히 도울 수 있을 것 같아서……."

"아니다. 그게 어디 잘못을 빌 일이더냐?"

유 노대가 얼른 끼어들었다.

"세상천지에 부모가 위험에 처해 있다는 소리를 듣고 가만히 있을 자식이 어디 있겠느냐? 잘했다. 잘 왔다."

유 노대는 웃으며 담호를 칭찬했다. 담호의 얼굴이 다

시 밝아졌다. 담우천은 여전히 무심한 눈빛으로 제 아들을 바라보며 물었다.

"그래, 강 숙부가 굳이 너를 이곳에 보낸 이유는?"

"아, 네."

담호는 그제야 생각났다는 듯이 등짐을 풀어 탁자 위에 펼쳤다. 짐 안에는 당시 병사들이 입는 군복(軍服)과 군모(軍帽)가 여러 벌 들어 있었다.

담호는 차분한 어조로 말했다.

"이것들로 갈아입으시고 남천로 큰길에 있는 병사들과 합류, 자연스레 악양부를 빠져나간다는 게 강 숙부의 계획입니다."

"병사들?"

담우천이 고개를 갸웃거리자 장예추가 지금 남천로에서 벌어지고 있는 상황에 대해서 간략하게 설명했고, 유노대는 무릎을 치며 감탄했다.

"호오, 군대를 동원하다니! 정말 강 장주다운 계략일세. 아무리 금해가라고 하더라도 군대와 맞부딪칠 생각은 하지 못할 테니 말이지."

"흠, 나쁘지 않은 계획이군."

화군악도 고개를 끄덕이며 말했다.

"나라면 좀 더 과격하게 계획을 짜서, 아예 위지휘사사와 금해가가 싸우게끔 만들었을 텐데. 이참에 아예 금해가까지 괴멸하도록 말이지."

장예추가 얼굴을 찌푸렸다.

"굳이 그러지 않아도 금해가는 충분히 괴멸시킬 수 있어."

"그런가? 그럼 아예 그렇게 할까? 이렇게 우리가 다 모인 김에 말이야."

"허어. 뭐가 그리 급하더냐? 그건 차후에 생각할 일이다."

유 노대가 혀를 차며 화군악을 나무랐다.

"지금은 얼른 군복으로 옷을 갈아입고 저 위지휘사사의 병사들 속에 몰래 끼어드는 일에만 집중해야 한다. 언제까지 저들이 남천로에 머물러 있겠느냐?"

"그건 그러네요. 그럼 얼른 갈아입죠."

화군악은 서둘러 제가 입을 옷과 모자를 골랐다. 장예추와 유 노대도 옷을 고르기 시작했다.

"쳇, 모자가 다 커. 내게 맞는 게 없는데?"

화군악이 투덜거렸다.

잠시 후, 사람들은 군복과 군모를 쓰고 다시 객청으로 돌아왔다.

병졸의 무장은 일반 경장(輕裝) 차림으로, 따로 갑옷을 입지 않았다. 흑색 상의에 백색 하의, 그리고 붉은색 허리띠, 또 붉은 수실이 달린 모자가 곧 일반 병졸의 차림새였다.

화군악은 사람들을 쓰윽 둘러보고는 쓴웃음을 흘렸다. 자신을 비롯한 사람들 모두 옷에 몸을 끼어 맞춘 듯한 외양이었다. 그는 곧 담호를 바라보며 엄지손가락을 쳐들었다.

"네가 제일 괜찮구나."

소년병 차림을 한 담호가 어색하게 웃었다.

뒤늦게 나찰염요와 담우천이 객청으로 걸어 나왔다. 뒤를 돌아본 화군악은 하마터면 크게 웃음을 터뜨릴 뻔했다. 하지만 그는 이내 숙연한 표정까지 지으면서 말했다.

"정말 잘 어울리십니다, 두 분."

나찰염요의 군복 차림은 세상에 둘도 없을 정도로 유혹적이고 매력적이며 육감적이었다.

가슴은 툭 튀어나왔고 허리는 잘록했으며 둔부는 펑퍼짐한 것이 한눈에도 남장여자(男裝女子)라는 걸 확실하게 알 수 있는 차림새였다.

반면 담우천의 군복은 당장이라도 찢어질 것처럼 몸에 꽉 끼었다. 크게 다리를 벌리면 가랑이가 찢어질 것이고, 팔이라도 높이 들면 옆구리가 찢어질 게 분명했다.

하지만 담우천은 전혀 신경 쓰지 않고 말했다.

"그럼 이제 떠날까?"

"네. 바로 출발하죠."

화군악의 대답에 장예추가 문득 생각났다는 듯이 그를 돌아보며 물었다.

"아, 군악. 그녀는 어떻게 했어?"

"그녀? 아!"

화군악은 눈살을 찌푸리며 말했다.

"그냥 두고 가지 뭐. 어차피 굶어 죽을 텐데."

"그래도 그건 아니지. 그냥 내버려 두고 가느니 차라리 죽이는 게 그녀를 위하는 일일 거야."

"그런가? 그럼 먼저 출발해. 곧 뒤쫓아 갈 테니까."

화군악은 누가 뭐라 할 틈도 주지 않고 재빨리 복도 안쪽으로 달려 나갔다.

장예추는 그 뒷모습을 보며 고개를 한 번 내젓고는 다시 담우천들을 돌아보며 말했다.

"그럼 여기서 기다릴 것 없이 군악 말대로 우리 먼저 출발하죠. 곧 올 테니까요."

## 2. 복수는 그때 해도

지하로 내려간 화군악은 복도를 따라 석실로 향했다. 욕지거리가 나올 정도로 더럽고 불쾌한 냄새가 석실 안에서부터 흘러나왔다.

화군악은 인상을 찡그리며 석실 문을 열었다.

그곳에는 죽어 가는 여인이 있었다. 온갖 오물을 뒤집어쓴 채 스스로 목숨을 끊어 가는 여인이 있었다.

하지만 그녀의 눈빛은 여전히 독랄하게 빛났다. 석실의 문을 열고 들어선 자가 화군악이라는 걸 알아본 그녀는 원념과 증오로 샛노랗게 빛나는 눈빛으로 노려보며, 짐승과 같은 울음소리로 절규하듯 부르짖었다.

그녀는 혀가 잘려서 도저히 알아들을 수 없는 말로 화군악을 저주하고 또 저주했다.

"알았어, 알았어."

화군악은 한숨을 쉬며 말했다.

"그래. 곱게 죽여 줄 테니까, 나머지는 지옥에 가서 떠들어. 염라대왕이라면 들어 줄지도 모르지."

화군악은 그녀에게 한 걸음 더 가까이 다가갔다. 손가락으로 검결지를 만들고 그녀의 이마에 조준했다. 그의 검결지 끝에 내공이 밀집하기 시작했다.

파앙! 하는 소리와 함께 뿜어진 지풍이 단번에 그녀의 이마를 꿰뚫고 뒤통수에 커다란 구멍을 낼 것이다.

그런 미래를 알면서도 그녀는 결코 멈추지 않았다. 자신의 모든 원한과 증오와 분노를 담아 쉴 새 없이 부르짖고 악을 썼다.

그래서였다. 화군악이 등 뒤로 다가서는 희미한 기척을

눈치채지 못한 것은.

"그렇게 너무 억울해하지는 마. 그래도 너와 나는 같은 게 있으니까."

화군악이 미소 지으며 입을 열었다.

"나도 죽어서 반드시 지옥에 갈 테니까. 그러니까 먼저 가서 기다리고 있으라고. 나에 대한 복수는 그때 해도 늦지 않을 테니까."

화군악은 검결지를 튕겼다.

파앙!

날카로운 파공성과 함께 새하얀 지풍이 일직선으로 뻗어 나갔다.

"카악!"

단말마의 비명과 함께 그녀, 구미호의 이마가 산산조각이 났다. 동시에 화군악이 앞으로 꼬꾸라졌다. 피가 사방으로 흩뿌려졌다.

* * *

세상일이라는 건 참으로 공교로운 바가 있어서, 심사숙고하여 만든 일은 의외로 쉽게 끝나고 반면 간단하게 해결될 거라고 생각한 일은 의외로 배배 꼬이기도 한다.

가령 온갖 예상을 하고 대책을 강구해서 담호를 안가로

보낸다는 계획은 의외로 장예추가 마중을 나온 것처럼 되는 바람에 쉽게 끝났다.

하지만 감히 위지휘사사와는 싸우지 못할 것이라 예상했던 부분은 전혀 엉뚱하고 힘들게 진행되고 있었다.

"장사 위지휘사께 아뢰오!"

마차가 뒤집히고 말이 날뛰고 사람들이 이리 뛰고 저리 뛰는 혼란 속에서, 한 가닥 웅후한 외침이 들려왔다.

도원겸은 물론 강만리의 시선으로 소리가 들려온 방향으로 쏠렸다. 그 방향에서 노인 한 명이 뒷짐을 진 채 수염과 옷자락을 펄럭이며, 제자리에서 미끄러지듯 허공을 날아오고 있었다.

"허어."

도원겸의 놀란 듯한 탄성이 흐르는 가운데 강만리의 눈이 가늘어졌다.

'고수다.'

경공술은 몸을 가볍게 한 후 내공을 다리와 발에 모아서 한 번의 도약, 혹은 뜀박질을 통해 더 높이 더 멀리, 더 빠르게 움직이는 수법이었다.

지금 순식간에 사오 장 거리를 격하고 날아와 표표히 지면에 내려서는 저 노인처럼, 두 다리를 꼿꼿하게 편 채 미끄러지는 허공을 나는 경공술을 펼치기 위해서는 최소한 일 갑자 이상의 내공과 수십 년의 수련이 필요했다.

"멈춰라!"

노인이 바로 코앞에 내려서자 선두의 전언병이 소리치며 주춤 물러섰다. 병졸들이 일제히 창을 들어 노인을 위협했다.

하지만 노인은 개의치 않은 채 도원겸을 향해 입을 열었다.

"본인은 금해가의 천호대군이라 하오. 현재 금해가는 사마외도의 무리들과 혈투를 벌이는 중이오. 저들은 포악하고 잔인하며 사리를 분별하지 못하는 종족들이오."

"거짓말."

강만리는 저도 모르게 그렇게 중얼거렸다.

"응? 방금 뭐라 하셨습니까?"

도원겸이 의아한 듯 그를 돌아보며 물었다. 강만리는 고개를 흔들었다.

"아니오, 아무 말도 하지 않았소."

그러는 동안에도 노인, 천호대군은 계속해서 말을 이어 나갔다.

"저들의 방약무인한 성격과 행동으로 인해 행여 위지휘사사의 군대에 불상사가 일어날 수도 있소. 그러니 청컨대 지금이라도 남천로 외곽으로 우회하시기 바라오."

"그럴 수는 없소이다!"

도원겸이 크게 소리쳤다.

하지만 조금 전 천호대군이 보여 준 그 신비한 경공술에 놀란 듯 도원겸의 목소리는 사뭇 떨리고 있었다.

"대명의 군대는 황제 폐하의 명이 아니고서는 절대 진군을 멈추지 않는 법이오!"

"과연 그렇소이까? 그럼 어쩔 수 없구려."

천호대군은 가볍게 고개를 끄덕이더니 곧 내공을 운기하고 커다란 목소리로 외쳤다.

"악양부 사람들은 모두 들으시오! 금해가는 예를 갖추고 최선을 다해 장사 위지휘사사의 수장을 설득하려 했으나 실패하고 말았소!"

그의 외침은 조금 전 강만리의 사자후처럼 쩌렁쩌렁하게 울려 퍼졌다. 악양부 전체는 아니더라도, 지금 이 남천로 일대에 있는 사람들은 충분히 들을 수 있을 정도로 우렁찬 목소리였다.

"그러니 앞으로 일어날지 모르는, 사마외도의 마물(魔物)들이 벌이는 만행은 결코 금해가와 아무런 관련이 없음을 악양부 사람들에게 고하는 바이오!"

산천초목(山川草木)이 우르르 떨릴 정도로 크게 외친 후, 천호대군은 도원겸을 향해 포권의 예를 취하며 말했다.

"그럼 본 금해가는 이만 물러나겠소. 저 사마외도의 무리를 두고 부디 행운이 깃들기를 바라오."

천호대군은 도원겸의 대답을 들을 생각도 없다는 듯이 뒤를 돌아보며 외쳤다.

"금해가의 무사들은 모두 자리를 뜬다! 본가로 퇴각하라!"

일순 백여 명의 무사들이 일제히 몸을 날려 남천로를 벗어났다. 심지어 마차에서 도주한 만해거사와 설벽린을 뒤쫓던 이들 중에서도 발길을 돌리는 자들이 속출했다.

천호대군은 그 모습을 보면서 다시 두 다리를 꼿꼿하게 펴고 뒷짐을 쥔 채 허공을 날아가는, 예의 그 오만하고 거만한 경공술을 펼쳤다.

순식간에 천호대군을 비롯한 백여 명의 무사들이 남천로 큰길에서 자취를 감췄다.

하지만 전면에는 백여 명의 또 다른 무인들이 아직도 남아 있었다. 그들은 칼과 검을 꼬나든 채 흉흉한 눈길로 위지휘사사의 부대를 노려보고 있었다.

도원겸은 저도 모르게 마른침을 꿀꺽 삼키며 중얼거렸다.

"저들이 그 사마외도의 마물들인가?"

"마물은 무슨."

강만리가 눈살을 찌푸리며 말했다.

"그들도 엄연히 사람이오. 나라의 밥을 먹으며 나라의 법을 따라야 하는 백성들이오."

"하지만 저들은 전혀 퇴각할 생각을 하지 않잖습니까? 오히려 마치 우리와 전면전을 벌이겠다는 듯 끝까지 노려보고 있습니다."

"허세일 뿐이오."

강만리는 잘라 말했다.

"우리가 우회하기를 바라는 협박, 그 이상도 그 이하도 아니오. 그러니 걱정하지 말고 진군하시오."

"그러다가 진짜 저들과 싸우게 되기라도 하면……."

도원겸은 망설이고 있었다.

사마외도의 흉악함과 잔인무도함은 도원겸도 익히 들어 잘 알고 있었다.

마공을 익히기 위해 백 일도 안 된 갓난아기 백 명의 피를 흡혈했다는 마인(魔人), 피에 굶주린 살인귀가 하룻밤 만에 수백 명의 문하생을 도륙하여 결국 그대로 문파 한 곳이 괴멸한 내용 같은 건 귀에 딱지가 앉을 정도로 자주 들었던 이야기였다.

지금 자신의 군대 앞을 가로막은 채 버티고 있는 이들이 바로 그 악마와 같은 자들이었다.

그들을 향해 진군하라는 건, 그들의 흉포한 살심을 자극하는 것밖에 되지 않았다. 사람의 규범과 인정(人情)과 국법을 무시하고 제멋대로 살아가는 저 잔악무도한 자들의 입으로 도원겸이 아끼는 수하들을 갖다 바치는 꼴이 될 뿐이었다.

'젠장.'

강만리는 내심 초조하여 욕설을 내뱉었다.

'마냥 이렇게 있을 시간이 없단 말이다!'

사실 계획은 단순했다.

군대는 진군하고, 병졸로 변장한 화군악들은 그 행렬의 후미에서도 가장 끝자락에 몰래 끼어들어 이 거리를 벗어나는 것이다.

하지만 이렇게 저들과 대치하고 있으면, 쉽게 끼어들 틈도 생기지 않고 또 자칫 저들의 시야에 화군악들의 움직임이 포착되는 경우가 발생할 수도 있었다.

'이 바보 같은 녀석! 어떻게 봐서 저들이 사마외도의 무리란 말이냐? 기껏해야 태극천맹, 아니면 금해가의 잔당들이 변장한 것일 텐데.'

강호에 사정이 밝은 사람이라면 백여 명에 달하는 사마외도의 무리가 이렇게 성시 한복판을, 그것도 해가 높이 뜬 대낮에 우르르 몰려다닐 수가 없다는 걸 잘 알 것이다.

태극천맹이 지배하는 강호에서 사마외도의 무리란, 그저 타인의 눈과 하늘의 햇빛을 피해서 숨어 다니고 도망쳐 다녀야 하는 쥐 떼와 다름이 없었으니까.

그러나 도원겸은 그런 사정까지는 모르고 있었다. 설령

안다 하더라도 확실하게 알지 못하기 때문에 망설이는 것이다.

피상적으로 아는 얄팍함에서 오는 불확실성, 그 불확실함이 주는 두려움과 공포. 그게 지금 도원겸을 망설이게 하고 있었다.

"나를 믿으시오. 나를 믿고 진군의 명령을 내리시오."

강만리는 재차 그에게 용기를 북돋아 주려고 했다.

"진군을 시작하면 놈들은 물러날 수밖에 없소. 우선 저들은 사마외도의 무리가 아닐 뿐더러 설령 사마외도의 무리라 하더라도 어찌 대명 군대의 앞길을 가로막겠소? 도대체 무슨 이유로 말이오."

"물론 나도 압니다. 저들이 우리를 막을 이유는 없습니다. 이성적으로 생각해도 논리적으로 추론해도 그런 이유가 있을 리가 없습니다."

도원겸은 고개를 저으며 말을 이었다.

"하지만 저 마귀들의 속내를 어찌 알겠습니까? 심심하다가 사람을 죽이고 마음에 들지 않는다고 한 마을을 불살라 버리는 자들이 바로 저 마귀들이 아닙니까?"

도원겸은 강만리를 바라보며 항변하다가 문득 눈살을 찌푸리며 말을 이었다.

"그 화살부터 빼는 게 어떻습니까?"

"화살? 아, 이거……."

강만리는 그제야 아직 제 손바닥을 꿰뚫고 있는 쇠화살의 존재를 인식했다.

"괜찮소. 우선 지혈을 했으니까. 외려 지금 섣부르게 빼는 것보다 이렇게 놔두는 게 낫소. 그리고 지금 중요한 건 이게 아니라……."

강만리가 말을 이어 갈 때였다.

파앙!

매서운 파공성과 함께 한 자루의 창이 오륙 장 거리를 격하고 도원겸의 머리를 향해 날아들었다.

"위험합니다!"

선두의 누군가가 크게 외쳤다.

강만리를 바라보고 있던 도원겸이 뒤늦게 정면으로 고개를 돌렸다. 어느새 창은 바로 도원겸의 눈앞까지 다다랐다. 막거나 피할 새가 없었다.

'죽었구나!'

도원겸의 얼굴은 사색이 되었고, 저도 모르게 두 눈을 질끈 감았다.

## 3. 나를 믿으라고 하지 않았소?

우르르!

바로 코앞에서 천둥이 치는 것 같았다. 지진이라도 난 것 같았다.

도원겸은 천천히 눈을 뜨다가 깜짝 놀라 "헉!" 헛바람을 집어삼키며 뒤로 몸을 젖혔다. 바로 눈앞에, 날카로운 빛을 발하는 창날이 우뚝 멈춰 있었던 것이다.

바로 곁의 강만리가 팔을 뻗어 창을 붙들고 있었다.

맹렬하게 짓쳐 들어오던 창을 잡아채면서 천둥이 치는 소리가 들렸고, 바로 앞에서 지진이라도 난 것처럼 공기의 파동이 일었던 것이다.

강만리는 천천히 창을 회수하며 말했다.

"나를 믿으시오."

그때 오륙 장 떨어진 곳에서 창을 던진 자가 껄껄 웃으며 소리쳤다.

"우리는 천하의 구천십지백사백마다! 생각 같아서는 군대고 뭐고 모두 죽여 버리고 싶지만, 그래도 나라를 위해 싸우는 놈들이니 이 정도에서 용서하마! 썩 물러나라!"

강만리는 창을 든 손을 뒤로 뺐다. 창대를 꽉 쥔 손에 굵은 힘줄이 우두둑 튀어나왔다.

창을 던진 자가 계속해서 소리치고 있었다.

"설마 우리와 싸울 생각은 아니겠지? 우리에게 정이나 도리 같은 걸 기대하지는 말라! 만약 싸우게 된다면 네놈들 모두를 죽여서 갈아 마실 터이…… 컥!"

창을 던진 자는 으름장을 놓다가 짧은 비명을 토했다. 어느새 날아든 창이 그의 가슴에 정확하게 꽂혔고, 사내는 그 힘을 이기지 못하고 뒤로 날아갔다.

"뭐냐? 헉!"

"큭!"

마침 그자의 뒤에 서 있던 두 명의 사내들마저 연달아 창에 꿰뚫렸다. 가공할 위력으로 날아든 창은 산적꼬챙이처럼 세 명의 사내를 꿰뚫고 나서야 움직임을 멈췄다.

강만리는 힘껏 휘둘렀던 손을 천천히 내렸다. 방금까지 창 한 자루를 쥐고 있던 그의 손에는 아무것도 없었다.

뒤늦게 사마외도 무리의 입이 쩍 벌어졌다. 세 명의 사내가 창에 꽂힌 채 축 늘어진 모습을 본 그들은 그제야 무슨 일이 벌어졌는지 깨달은 것이다.

놀란 건 사마외도 뿐만이 아니었다. 강만리의 바로 곁에 서 있던 도원겸의 눈은 금방이라도 튀어나올 것만 같았다.

'아니, 언제…….'

언제 창을 던졌을까.

바로 곁에 있으면서도 전혀 알지, 눈치채지 못했다.

너무나 빠르고 너무나 강렬했기 때문에 오히려 소리조차 나지 않은 것일까.

무려 오륙 장 거리를 격하고 단숨에 세 명의 사내를 산적으로 만들 정도의 맹렬한 일격이었지만, 공기를 가르고 허공을 가로지르는 파공성도 없었다.

정면을 주시하던 강만리는 문득 자신을 쳐다보는 도원겸의 시선을 알아차렸는지 무뚝뚝한 목소리로 조용히 말했다.

"그러니까 나를 믿으라고 하지 않았소?"

* * *

"아무래도 안 되겠습니다. 분명 무슨 일이 일어난 게 분명합니다."

안가를 벗어나 남천로로 향하던 도중, 장예추가 걸음을 멈추고 그렇게 말했다.

"허허. 일은 무슨 일. 그저 균악 그 녀석이 늦장을 부리고 있을 뿐일 게다."

유 노대가 미소를 지으며 말을 받았다.

"아닙니다."

장예추가 고개를 저으며 말했다.

"평소에는 아무런 생각 없이 웃고 떠들기만 하지만, 그래도 뭐가 중요하고 뭐가 급한지는 잘 알고 있는 녀석입니다. 이 상황에서 마냥 늦장을 부릴 녀석이 아닙니다. 뭔가 일이 있기 때문에 늦는 겁니다."

그렇게 말하는 장예추의 뇌리에는 조금 전 해시봉안진에 갇혀서 허우적거리던 화군악의 모습이 떠올랐다.

'설마 이번에도 진에 갇힌 건 아니겠지?'

그렇다면 한바탕 욕설을 퍼부어야겠다고 장예추는 생각하며 상념을 떨쳐 냈다.

"하지만 그렇다고 굳이 네가 되돌아갈……."

유 노대가 재차 반론하려 할 때 담우천이 낮은 목소리로 말했다.

"보내 주시죠, 유 사부."

유 노대가 돌아보자 담우천은 무심한 얼굴로 말을 이었다.

"안 그래도 안가에서 뭔가 기분 나쁜 기척을 느꼈습니다. 아직 내공이 다 회복되지 않고 몸이 완전하지 못해서 그게 무슨 기척인지는 알아차리지 못했지만……."

"아! 저도 그걸 느낀 적이 있습니다."

장예추가 서둘러 말했다.

그는 살짝 초조해진 얼굴로, 객청 입구에서 화군악과 함께 있었을 때 느꼈던 그 쥐새끼의 기척에 대해서 이야기했다. 듣고 있던 사람들의 얼굴이 굳어졌다.

유 노대가 조금은 심각해진 표정을 애써 감추며 밝은 목소리로 말했다.

"그래. 가 보게나. 가서 녀석이 무엇 때문에 아직도 오지 않는지 확인해 보게. 뭐, 분명 내 말대로 구미호를 희롱하느라 늦장을 부리고 있겠지만."

"그럼 다녀오겠습니다."

장예추는 곧장 몸을 돌려 안가로 되돌아갔다. 지면을 박차고 지붕을 타고 나는 그의 발길이 더욱 급하고 초조해 보였다.

'부디 아무 일도 없기를.'

장예추는 입술을 깨문 채 전력으로 질주했다. 유 노대 말처럼 구미호를 희롱하느라 늦장을 부리고 있기를 바라면서 장예추는 순식간에 안가에 당도했다.

단숨에 두 개의 진법을 통과한 그는 객청 문을 열고 안으로 들어섰다. 일순 그의 가슴이 싸늘하게 식었다. 불순한 기운이 그의 등골을 타고 흘러내렸다.

텅 빈 객청에 내려앉은 차가운 적막. 객청을 둘러싸고 있는 기분 나쁜 고요함.

장예추는 불길한 기분을 애써 떨치려는 듯 큰 소리로 외쳤다.

"도대체 뭘 하고 있는 거야, 군악?"

장예추는 석실로 이어지는 지하 복도로 내려갔다.

지하에서는 저벅거리는 그의 발걸음 소리를 제외하고는 그 어떤 소리도 들리지 않았다. 불길한 기분이 스멀스멀 피어오르기 시작했다.

장예추는 빠르게 석실로 향했다. 석실의 문은 열려 있었다. 장예추는 내공을 끌어올리며 석실로 뛰어들었다. 일순 그의 눈이 커지고 입에서 격정(激情)의 외침이 튀어나왔다.

"군악!"

석실 바닥에는 세 구의 시신이 아무렇게나 나뒹굴고 있었다.

오물에 뒤덮인 채로 죽은 구미호의 시신. 석실 벽면에 거꾸로 처박힌 채 죽은 노인의 시신. 그리고 새파랗게 변색된 얼굴로 쓰러져 있는 화군악의 시신.

"군악! 군악!"

장예추는 오물투성이의 석실 바닥에 무릎을 꿇고 화군악을 와락 끌어안으며 소리쳤다.

장예추가 마구 흔들었기 때문이었을까.

아니면 장예추가 그의 명문혈에 손을 대고 내력을 주입시켰기 때문이었을까.

이미 죽은 줄 알았던 화군악이 천천히 눈을 떴다. 화군악은 이미 생기가 사라진 눈빛으로 장예추를 쳐다보다가 뒤늦게 그가 누구인지 알았다는 듯 희미하게 웃더니, 마지막 남은 기력을 짜내어 힘들게 입을 열었다.

"젠장…… 방심했어."

그게 끝이었다.

그나마 화군악을 지탱하고 있던 기력이 순간적으로 사라졌다. 그의 눈이 감기고 고개가 뒤로 젖혀졌다. 그의 온몸에서 힘이 빠져나갔다. 온몸이 축 늘어졌다.

"정신 차려, 군악!"

장예추가 울음에 가까운 고함을 지르며 화군악의 명문혈을 통해 계속해서 자신의 내력을 주입했다. 그러나 화군악은 더 이상 움직이지 않았다.

8장.

# 도대체 누구냐, 저 괴물은?

본 맹에 소속된 자들은 다음 지시가 있을 때까지
금해가를 포함한 오대가문의 행사에 참여를 금(禁)한다.

## 도대체 누구냐, 저 괴물은?

### 1. 천하제일 살수(殺手)

두 명의 사내가 떠난 걸 확인한 왕윤은 곧바로 지붕 위로 몸을 날렸다. 고양이의 착지처럼 아무 소리도 내지 않고 지붕에 올라선 그는 객청의 위치를 확인한 다음 반대편 지붕으로 돌아가 조심스레 기와를 걷어 냈다.

왕윤은 문득 흥이 솟았다. 꽤 오래간만의 작업이었다. 다시 젊었던 때로 돌아간 듯한 기분이 들었다. 스스로 천하제일 살수(殺手)라고 자신했던, 또 동료들로부터 그렇게 불려왔던 그 젊은 시절의 모습으로.

뭐 다른 건 그렇다 치더라도 기와를 걷어 내고 건물 안으로 잠입한 다음 소리 없이 목표 대상에게 접근하여 은밀하고 신속하게 살해한 후 다시 빠져나오는 일은, 아마 세상에서 왕윤이 최고였을 것이다. 그것만큼은 천하제일이라고 자부해도 되었다.

'끄응, 그때는 진짜 날렵했는데.'

왕윤은 내심 투덜거리면서 축골공(縮骨功)을 펼쳤다. 기와를 걷어 내고 생긴 좁은 구멍 안으로 그의 몸이 쑥 빨려 들어갔다.

그가 잠입한 곳은 객청 맞은편, 복도를 따라 여러 개의 방이 길게 이어진 지점이었다. 왕윤은 복도 천장에 거꾸로 매달린 채 천천히 객청 쪽으로 접근했다.

객청은 꺾인 복도 안쪽에 있었는데, 사람들이 탁자에 앉아 차를 마시며 두런두런 나누는 대화가 복도를 따라 들려왔다.

왕윤은 복도 끝자락까지 이동한 후, 기척을 지운 채 잠자코 그들의 대화를 엿들으며 기회를 엿봤다.

'먼저 촌적(寸笛)을 이용하여 늙은이부터 독살한다. 동시에 비수를 날려 계집을 쓰러뜨리고 마지막으로 병자(病者)를 제압하면 된다.'

왕윤은 그렇게 생각하며 품에서 촌적을 꺼냈다.

촌적은 손가락 길이만 한 피리로, 그 안에 곰도 한 발에 죽일 수 있는 독을 바른 화살을 넣고 입으로 불어서 적을 해치우는 치명적인 살상 무기였다.

지금껏 수백 회의 살수행을 거치는 동안 단 한 번의 실패나 실수가 없었던, 그야말로 최강의 암살 무기이자 가장 간단하고 편한 암살 방법이기도 했다.

왕윤은 촌적을 호루라기처럼 입에 문 뒤, 객청을 향해 천천히 고개를 내밀었다. 객청 안의 광경이 시야에 들어왔다.

정면으로 노인이 앉아서 곰방대를 빨고 있었고 한 쌍의 남녀가 등을 보인 채 앉아 있었다. 그야말로 암살하기에는 최적의 상황이었다.

왕윤은 내공을 끌어올렸다.

그의 수십 년 내공으로 불어 낸 독화살은 아무런 기척도 없이 날아가 노인의 목에 박힐 것이고, 그 순간 노인은 영문도 모른 채 절명할 것이다.

그렇게 왕윤이 내공을 끌어올리는 순간이었다.

'헉!'

왕윤은 화들짝 놀라며 객청 쪽으로 내밀었던 머리를 자라목처럼 거둬들였다. 헛바람을 집어삼키는 바람에 하마터면 독화살이 목구멍 안으로 파고들 뻔했다.

왕윤은 새파랗게 질린 얼굴을 한 채 내심 중얼거렸다.

'내 살기를 느꼈다고?'

믿을 수 없었다. 믿을 수 없는 일이었다.

내공을 끌어올리면서 흘린 그 미미한 살기에 반응을 하

다니. 마치 거미줄로 왕윤의 전신을 옭아매는 듯한 투기를 흘려 내다니.

도대체 세상 어느 고수가 반사적으로 그런 반응을 드러낼 수 있을까.

'저 병자…… 도대체 누구지?'

왕윤의 머릿속이 혼란스러워졌다.

그는 다시 집중하여 객청 안의 기척을 살피고 확인했다. 가만히 앉아 있음에도 불구하고 은은하게 풍기는 기도(氣道)의 수준을 보자면, 확실히 최소한 일류급 이상의 고수들인 건 분명했다. 어쩌면 노경, 혹은 그 이상의 고수들일 가능성도 적지 않았다.

그러나 그렇다고 해서 왕윤을 이렇게까지 두근거리게 할 정도는 아니었다. 과거 왕윤이 암살한 자들 가운데에는 구파일방의 장문인 급에 해당하는 최절정 고수들도 여럿 있었으니까.

'문제는 저 병자다.'

왕윤은 마른침을 꿀꺽 삼키며 생각했다.

'부상에서 완쾌되지 않았거나 아직 온전하게 회복하지 않은 병자인 건 확실한데…… 어떻게 내 살기를 읽고 반응한 건지 모르겠다.'

그랬다.

막 촌적의 독화살을 쏘려던 왕윤이 화들짝 놀라며 몸을

숨긴 건 바로 그 병자가 순간적으로 내뿜었던 투기 때문이었다. 마치 풀 속에 숨어 있다가 갑자기 등 뒤를 덮쳐드는 호랑이처럼, 한없이 맹렬하고 사납게 뻗어 나온 투기.

그때였다.

"무슨 일이에요?"

객청 쪽에서 여인의 목소리가 들려왔다.

"아니, 아무것도 아니네."

병든 환자의 무기력하게 느껴지는 목소리가 뒤를 따랐다.

"내 착각이었나 보다. 문득 살기가 느껴졌거든."

"살기요?"

"허어, 살기?"

그리고 대화는 잠시 멈춰졌다. 약간의 시간이 초조하게 흘렀다.

복도 천장에 거꾸로 매달려 있던 왕윤의 이마에 식은땀이 배어날 때였다.

"흠, 살기는커녕 아무런 기척도 느껴지지 않는데?"

노인의 목소리가 들려왔다.

"저도요."

여인도 그렇게 말했다.

"그래서 착각이라고 한 거다."

병든 환자의 목소리였다.

"허허. 죽고 싶지 않고서야 어느 누가 감히 이곳에서 살기를 뿜어낼 수 있을까?"

노인의 너털웃음이 들려왔다. 뒤이어 노인은 화제를 바꿔 계속 이야기했다.

"그나저나 군악 그 녀석은 진짜로 진법에 갇혀서 허우적거리고 있는 건 아니겠지? 아니면 진법을 핑계로 예추를 뒤쫓아간 겔까?"

일순 왕윤의 눈빛이 반짝였다.

'군악!'

그렇군. 조금 전 이곳을 빠져나간 두 녀석 중 한 명이 화군악이라는 놈이었어.

왕윤은 재빨리 계획을 수정했다.

'그렇다면 굳이 위험을 감수하고 저 정체를 알 수 없는 괴물과 한데 어울릴 필요가 없겠지. 내 목표는 어디까지나 화군악, 한 놈이니까. 좋아, 놈들이 돌아올 때까지 잠시 기다리자. 두 녀석 중 누가 화군악인지 알아내는 건 그리 어렵지 않을 테니까.'

왕윤은 그렇게 결정하고는 이내 자신의 체온과 호흡, 기척을 완벽하게 지웠다.

얼마나 시간이 흘렀을까.

객청의 문이 열리고 사람들이 들어섰다. 그들은 한바탕 떠들썩하게 대화를 나누더니 곧바로 옷을 갈아입기 위해 복도 안쪽의 방을 오가기 시작했다.

하지만 누구 하나 복도 천장에 매달려 있던 왕윤을 알아차린 사람이 없었다. 노인과 여인은 물론, 두 청년도, 새로 들어온 꼬마 녀석도, 심지어 병든 괴물 환자도 왕윤의 존재를 전혀 인지하지 못했다.

"아, 군악. 그녀는 어떻게 할 거야?"

사람들이 객청을 나서기 직전이었다. 자신의 존재를 지우고 죽은 듯 있던 왕윤의 귀가 번쩍 열렸다. 그리고 청년들의 대화가 들려왔다.

"그녀? 아! 그냥 두고 가지 뭐. 어차피 굶어 죽을 텐데."

"그래도 그건 아니지. 그냥 내버려 두고 가느니 차라리 죽이는 게 그녀를 위하는 일일 거야."

"그런가? 그럼 먼저 출발해. 곧 뒤쫓아 갈 테니까."

그 말과 함께 청년 한 명이 복도 안쪽으로 달려왔다. 왕윤은 자신의 밑으로 지나쳐가는 청년을 내려다보며 고개를 끄덕였다.

'이 녀석이 화군악이로군.'

하지만 왕윤은 움직이지 않았다. 객청 문이 닫히고 다른 이들의 기척이 이곳 장원에서 사라질 때까지 그는 여전히 죽은 듯 그 자리에 머물렀다.

이윽고 모든 기척이 사라진 걸 확인한 후 왕윤은 천장

에서 내려와, 화군악의 뒤를 쫓았다.

복도 끝자락에는 지하로 향하는 문이 열려 있었다. 왕윤은 양탄자 위를 걷는 고양이처럼 소리 내지 않고 지하로 들어섰다. 등불이 바람에 흔들리는 가운데 지하 복도 저편으로 석실 문이 열려 있었다.

그 석실 안, 흉포한 맹수가 울부짖는 소리 속에서 화군악의 목소리가 불투명하게 들려왔다.

왕윤이 살금살금 석실까지 다가가 고개를 내밀었다. 그곳에는 정체를 알 수 없는 한 여인이 온갖 오물을 뒤집어쓴 채 의미를 알 수 없는 절규를 내지르고 있었다. 그것이 바로 흉포한 맹수가 울부짖는 듯한 소리의 정체였다.

## 2. 도대체 누구냐, 저 괴물은?

"그렇게 너무 억울해하지는 마. 그래도 너와 나는 같은 게 있으니까."

청년이 말했다. 왕윤이 석실 안으로 들어섰다.

청년은 그 기척을 전혀 눈치채지 못한 채 계속해서 말을 이어 나갔다.

"나도 죽어서 반드시 지옥에 갈 테니까. 그러니까 먼저 가서 기다리고 있으라고. 나에 대한 복수는 그때 해도 늦지 않을 테니까."

왕윤은 청년의 등을 주시한 채 그의 호흡과 자신의 호흡을 하나로 맞췄다. 청년이 끌어올리는 내공의 속도에 따라 자신도 내공을 끌어올렸다.

청년이 손가락으로 검결지를 만들어 지풍을 날리는 순간, 왕윤의 입에 물고 있던 촌적에서 독화살이 날아갔다.

스팟!

날카로운 파공성과 함께 새하얀 지풍이 일직선으로 뻗어 나갔다. 손톱보다 작은 독화살은 지풍의 파공성에 제 기척을 감춘 채 청년의 목에 쑤셔박혔다.

"카악!"

단말마의 비명과 함께 여인의 이마가 산산조각이 났다. 동시에 청년도 앞으로 꼬꾸라졌다. 여인이 뿜어낸 피가 사방으로 흩뿌려졌고, 그 위로 청년이 털썩 쓰러졌다.

왕윤은 피식 웃었다.

"역시 아직 실력이 녹슬지 않았군."

하기야 비록 은퇴한 지 십수 년이 흘렀다고는 하나 수백 명의 고수를 암살했던 그 실력이 어디 갈까.

왕윤은 자박자박 소리를 내며 걸어가 청년, 화군악의 시신을 발로 툭 건드렸다. 그러고는 자리에 주저앉아서 손을 뻗어 화군악의 맥문을 짚었다.

곰도 절명시킬 극독이었다. 당연히 죽은 건 확실하지만

그래도 만에 하나를 생각한 움직임이었다.

바로 그때였다.

이미 죽은 줄 알았던 화군악의 손이 갑자기 움직였다. 그의 손은 한 자루의 칼날이 되어 단숨에 왕윤의 발목을 자르고 복부를 찔렀다.

"헉!"

깜짝 놀란 왕윤이 재빨리 도약하여 피하려 했다. 하지만 지면을 박차야 할 두 발은 이미 발목부터 싹둑 잘려 나간 후였다.

그의 신형이 기우뚱거리더니 그대로 균형을 잃고 쓰러졌다. 잘려 나간 발목에서, 뻥 뚫린 복부에서 검붉은 피가 꿀렁꿀렁 흘러나왔다.

왕윤에게는 천만다행이라고나 할까.

한순간 그 무엇보다 빠르게 움직였던 화군악의 손은 회광반조(回光返照)처럼 두 번 다시 움직이지 않았다.

"믿을 수…… 없다."

왕윤은 놀란 목소리로 중얼거리면서 엉금엉금 기어서 석실을 빠져나가려 했다. 구멍이 뚫린 복부에서 창자와 오장육부가 꾸역꾸역 밀려 나왔다.

"내 촌적의 독화살을 맞고도…… 움직일 힘이…… 남아 있었다니……."

왕윤의 중얼거리는 소리에서 힘이 빠졌다. 엉금엉금 기

어가는 속도가 현저하게 느려졌다.

"도대체…… 누구냐, 이…… 괴물들은?"

왕윤의 고개가 석실 바닥을 찧었다.

이윽고 바들거리던 그의 움직임이 완전히 멈췄다. 그렇게 숨이 끊어진 것이다. 한때는 천하제일 살수라고도 불렸던 자의 최후였다.

"군악!"

지하 통로 입구에서 화군악을 부르는 장예추의 목소리가 들려왔다.

* * *

강만리가 창을 던져 단번에 세 명의 고수를 꿰뚫은 건 그야말로 충격적인 일이었다.

"믿을 수 없다. 세상에 저런 고수가 군에 있다는 게 말이나 되느냐? 도대체 누구냐, 저 괴물은?"

"조금 전 사자후를 터뜨린 자도 바로 저 장수였습니다. 지금의 일격도 최소한 이 갑자가 넘는 내공으로 던져야 가능하지 않을까 싶습니다. 아무래도 조짐이 좋지 않습니다."

"자칫 전면전이 벌어질 가능성도 없지 않습니다. 행여 전면전이 벌어지게 되면 큰 문제가 발생할 수도 있습니다. 자칫 우리가 태극천맹의 사람들이라는 게 밝혀지기라도 하면, 그때는 저들의 말마따나 반역의 죄를 뒤집어쓸 수도 있습니다."

"아무리 금해가 가주의 지시라고는 하지만 우리는 어디까지나 태극천맹 소속이지, 금해가 소속이 아니잖습니까? 왜 금해가 무사들과 천호대군이 뒤로 물러났는지, 왜 우리가 사마외도의 무리 역할을 맡게 되었는지 다시 한번 생각해 주시기 바랍니다."

부관들이 다급한 표정을 지은 채 앞다퉈 조언했다.

"비록 세 명이 죽었다고는 하나 저 장수의 무위를 확인한 이상, 지금 물러나는 게 최선이 아닐까 싶습니다."

"그렇습니다. 만약 전면전이 벌어진다면 위지휘사사의 병사들을 모두 죽여야 합니다. 절대 우리의 신분이 발각되어서는 안 되니 말입니다. 하지만 저 장수의 신위를 보건대 몰살은 절대 쉬운 일이 아닐 것 같습니다."

"또한 저만한 무공을 가진 장수가 얼마나 더 있을지도 아직 확인되지 않은 상황입니다. 그러니 금해가와 척을 지는 한이 있더라도 물러나는 게 마땅할 줄 압니다."

사마외도의 무리라고 주장하는 이들은 악양부와 그 주변에 있는 태극천맹 지부원들이었다. 그리고 지금 초조한 얼굴로 쉴 새 없이 퇴각을 제안하는 부관들은 각 지부를 대표하는 실력자들이었다.

그런 고수들이 수하의 죽음을 목도했음에도 불구하고 이렇게 퇴각을 말하고 있는 것이다.

악양 땅의 태극천맹 지부주이자 이 연합 세력을 이끌고 있는 진강(陳鋼)은 입술을 깨물었다.

'빌어먹을! 굳이 내가 직접 오는 게 아니었는데.'

후회가 막심했다.

동시에 태극천맹 본산에서 내려왔던 지령이 떠올랐다.

―본 맹에 소속된 자들은 다음 지시가 있을 때까지 금해가를 포함한 오대가문의 행사에 참여를 금(禁)한다.

작년 가을이었던가.

태극천맹과 오대가문의 사이가 좋지 않다는 소문이 떠돌기 시작했고 태극천맹의 맹주와 오대가문의 가주들이 하마터면 치고받고 싸울 뻔했다는 흉흉한 이야기까지 들려왔을 때, 본산에서 내려온 특급 지령의 내용이었다.

그 이후, 악양 지부야 어쩔 수 없다손 치더라도 다른 지부들은 금해가의 행사에 참여하기를 주저하고 꺼렸다.

이번 긴급 동원도 마찬가지였다.

금해가에서 워낙 다급하게 지원 요청을 한 데다가 또 태극천맹 악양 지부가 피해를 당한 사건이었다.

악양 지부주 송강우가 다치고, 심지어 몇몇 수하들이

죽기까지 했다. 당연히 복수하러 나서야 하는 상황이기는 했다.

그러나 익양 지부와는 달리, 악양 주변의 다른 지부는 지부주가 직접 나서지 않았다. 그들은 자신들의 부관을 대표로 보냈고, 그 부관들이 지금 진강에게 조언하고 퇴각을 제안하는 바로 이자들이었다.

'나 역시 놈들 중에 형님과 조카 녀석을 죽인 자가 있다는 이야기만 듣지 않았더라면 결코 직접 나서지 않았을 것이다.'

진강은 재차 입술을 깨물었다.

익양 지부의 전대 지부주는 진흠이라는 자였다. 그는 아들 진홍래와 함께 수년 전 동정호 지저갱을 탈출한 죄수들을 뒤쫓다가 화군악이라는 자에 의해 목숨을 잃었다.

친형의 뒤를 이어 익양의 새로운 지부주가 된 진강은 몇 년 동안 복수의 칼날을 갈고 있었는데, 마침 금해가가 보내온 밀서에 바로 그 화군악이라는 자의 이름이 적혀 있었던 것이다.

당연히 진강은 다른 지부와는 달리 익양 지부의 전 병력을 이끌고 이곳 악양으로 달려왔다.

하지만 화군악이라는 자는 코빼기도 볼 수 없었고, 엉뚱하게도 지금 이렇게 장사 위지휘사사의 군대와 대척하는 중이었다.

'어쩌면 그 화군악이라는 이름은 그저 나를 이곳으로 오게 만들기 위한 거짓말일지도 모른다.'

상황이 이렇게 되자 진강은 금해가를 의심했다. 또 한 번 의심이 들자 모든 게 수상쩍게 생각되었다.

'어쩌면 부관들 말대로 태극천맹에 반역의 죄를 뒤집어 씌우려는 음모일지도 모르겠다. 어쨌든 지금 오대가문과 본 맹의 사이가 나쁘다는 건 사실이니까.'

새로운 술은 새 부대에 담으라는 말이 있던가.

어쩌면 오대가문은 자신들의 명령과 지시를 따르지 않는 지금의 태극천맹을 버리고 새롭게, 오로지 그들만의 태극천맹을 만들려고 할지도 몰랐다. 그리고 지금 이 상황은 그 은밀하고 놀라운 계획의 시작점일 수도 있었다.

결국 진강은 고개를 끄덕였다.

"물러납시다."

초조한 기색으로 기다리고 있던 부관들의 얼굴이 밝아졌다. 진강은 예리하고 날카로운 눈빛으로 맞은편 장수를 노려보며 말을 이었다.

"하지만 저 장수에 대한 복수는 반드시 해야 하오. 그러니 어떻게든 저 장수의 관등과 이름을 알아내야 할 것이오."

"그리하겠습니다."

"사람들을 은밀하게 풀어서 장사 위지휘사사에 소속된 모든 장수들의 용모파기를 작성하겠습니다."

부관들의 빠른 대답에 진강은 고개를 끄덕이며 말했다.

"좋소. 그럼 퇴각하시오. 퇴각 위치는……."

## 3. 마지막 부탁

"놈들이 물러납니다!"

선두의 병졸이 크게 소리쳤다. 도원겸은 안도의 한숨을 내쉬며 고개를 절레절레 흔들었다.

"강 대협께서 창을 던지셨을 때만 하더라도 진짜 전투가 벌어질 거라고만 생각했습니다."

강만리가 나지막한 소리로 말했다.

"창을 던졌기 때문에 놈들이 물러난 것이오."

"지금 보니 과연 그런 것 같습니다."

"하지만 아직 경계심을 풀면 안 되오. 놈들이 완전히 단념하고 퇴각한 건 아니니까."

강만리의 말에 도원겸은 다시 정면으로 시선을 돌렸다.

아닌 게 아니라 멀리 퇴각하는 줄로만 알았던 놈들은

그저 이십여 장 뒤로 물러나서 남천로 큰길 밖으로 나가 길을 터 주었을 뿐이었다.

"이거 외려 더 큰일이 아닙니까?"

도원겸이 움찔거리며 말했다.

"저 길을 따라가게 되면 꼼짝없이 놈들에게 포위당하는 형국이 되는데, 설마 아직도 우리를……."

"그러지는 않을 것이오."

강만리는 여전히 차분한 어조로 말했다.

"처음부터 지금까지 놈들은 단 한 번도 진심인 적이 없었소. 그저 어떻게든 우리가 이 남천로 큰길을 통과하지 못하도록 막으려 했을 뿐이오. 그런데 결국 포기하고 저렇게 길을 열어 주었으니 아무런 일도 일어나지 않을 것이오."

"그렇다면 왜 우리가 이 남천로를 통과하지 못하도록 막으려 했을까요?"

"글쎄요. 그건 나도 잘 모르겠소."

거짓말.

도원겸은 강만리를 쳐다보며 그렇게 생각했다.

'조금 전 마차가 느닷없이 질주하다가 엎어지고 말들이 미쳐 날뛴 것도 다 그쪽 소행이라는 걸 아는데, 끝까지 저렇게 오리발을 내밀다니…….'

하지만 굳이 따져 물을 생각은 없었다.

무엇보다 이제 일각 정도 지나면 남천로를 통과하게 될 것이고 그러면 이 무림포두라는 자와의 관계도 끝나게 된다. 구태여 이것저것 캐묻는 것보다는 그게 더 깔끔하고 속 시원한 마무리가 될 것이다.

도원겸은 그렇게 결론을 내리며 전언병에게 지시했다.

"진군하라."

선두의 전언병이 다시 크게 외쳤다.

"진군이다! 다들 보무(步武)도 당당하게 걷는다! 우리는 대명의 장사 위지휘사사이다!"

북이 울리고 나팔 소리가 요란했다. 오천육백의 병졸들이 그 북소리에 맞춰 힘차게 걷기 시작했다. 그렇게 진군이 시작되었다.

그때였다.

한 무리의 병졸들이 골목길에서 재빠르게 달려 나와 행렬의 후미에 합류했다.

북소리와 나팔 소리로 워낙 시끄러운 데다가 후미 주변 병사들은 앞의 상황에 모든 신경을 집중하고 있었다. 그런 연유로, 자신들의 뒤쪽으로 달려와 발을 맞추며 걷는 네 명의 병졸들을 눈치챈 병사들은 아무도 없었다.

또한 먼저 퇴각해서 남천로 주변 골목길과 건물 지붕 등에 은신한 채 주변을 경계하고 행렬을 감시하던 금해가 무사들 또한, 행군의 마지막 줄에 새롭게 합류한 무리의 정체를 파악하지 못했다.

둥! 둥! 둥!

장사 위지휘사사의 부대는 북소리와 함께 금해가 무사들의 경계와 감시망을 지나 남천로를 통과했다. 이십여 장 밖으로 물러나 있던 사마외도의 무리도 어느 순간부터 보이지 않았다.

'휴우.'

끝까지 마음을 놓지 못하고 좌불안석, 전전긍긍하던 도원겸은 그제야 속으로 길게 안도의 한숨을 내쉴 수가 있었다.

행렬은 어느덧 남천로를 빠져나와 북천로로 접어들었다. 북천로를 따라 계속해서 북진하다 보면 좌측으로 바다와 같은 거대한 호수의 모습을 볼 수 있게 된다.

그건 즉, 악양부의 북문이 그리 멀지 않았다는 신호이기도 했다.

얼마나 진군을 계속했을까. 해는 이미 중천을 지나 서쪽으로 이동한 가운데, 이윽고 행렬은 북문 앞에 당도했다.

미리 연락을 받았는지, 남문과는 달리 북문의 양쪽 성문은 활짝 열려 있었다. 장사 위지휘사사의 행렬은 별다른 일 없이 북문을 빠져나갔다.

"그럼 이제 어찌해야 합니까?"

도원겸이 강만리를 돌아보며 물었다. 강만리는 당연하다는 듯이 말했다.

"밥을 먹어야 하지 않겠소?"

"네?"

도원겸의 눈이 휘둥그레졌다. 강만리는 불룩 튀어나온 배를 만지며 말했다.

"정오가 지난 지도 한참 되었소. 다들 배가 고플 터이니, 어디 노영(露營)할 자리를 찾아서 밥이나 먹읍시다."

"아니, 지금 밥이 중요한 게 아니라……."

"원래 다 먹고 살자고 하는 일이 아니겠소? 배가 불러야 여유도 생기고 머리도 잘 돌아가는 법이오."

도원겸은 강만리를 어이없다는 듯 쳐다보다가 부관을 향해 빽! 소리쳤다.

"노영 자리를 찾아라!"

"존명!"

* * *

악양부 북문에서 약 백여 리 떨어진 곳, 오천육백 명이 넓게 자리를 잡고 짐을 풀었다.

관도를 따라 양쪽으로 울창한 숲이 펼쳐져 있는 가운데 바로 그 초입에 있는 수백 평의 평지 가득 메운 병졸은 곧 불을 피우고 솥을 걸고 물을 끓였다.

원래 행군 중의 노영일 경우에는 이렇게까지 대대적으로 점심 식사 준비를 하지 않는 법이었다.

다들 개인적으로 준비한 건량으로 간단하게 끼니를 때우는 게 일반적인데, 지금은 강호 무림인들과 상당 시간 대치를 하는 바람에 육체적 정신적 소모가 상당히 심한 상황이었다.

거기에다가 어쨌든 애당초 목표였던 악양부 통과를 성공적으로 수행한 참이었으니, 병졸들의 기운도 북돋을 겸 사기도 올릴 겸 도원겸은 돼지와 닭, 오리를 공수하기 위해 악양부로 사람을 보냈다.

오래간만에 벌어질 고기 잔치에 들뜬 병졸들이 잔뜩 흥겨워하고 있을 때, 강만리는 도원겸에게 마지막 부탁을 했다.

"내 말까지 해서 말 여섯 필만 내주시오."

"무슨 연유로 말이 필요한지 여쭤봐도 되겠습니까?"

"수하들과 만나기로 되어 있소. 그들을 태울 말이오."

"수하들? 여기에서 말입니까?"

"그렇소."

도원겸은 잠시 강만리를 쳐다보다가 고개를 휘휘 내저으며 말했다.

"어쨌든 이게 마지막 부탁이라고 생각해도 되겠습니까?"

"물론이오. 어쩌면 오늘 이후 앞으로 두 번 다시 만나지 않게 될 터이니."

"어쩌면이 아니라 반드시 그렇게 되었으면 좋겠군요."

도원겸은 나지막하게 한숨을 내쉬고는 부관을 불러 말 다섯 필을 가져오라고 지시했다. 부관은 슬쩍 강만리를 쳐다보고는 말을 구하려고 서둘러 달려갔다.

"그럼 우리는 이제 장사로 돌아가도 되는지요."

도원겸의 질문에 강만리는 노영지를 둘러보며 대꾸했다.

"그냥 이대로 돌아가면 확실히 수상하게 보일 터이니 예서 하루 정도는 묵고 가는 게 낫지 않을까 싶소이다."

"뭐, 그 정도는 상관없습니다. 그나저나 그 화살은 계속 그리하고 다니실 겁니까?"

"아, 이거? 상관없소. 수하들을 만나게 되면 그때 빼도 늦지 않으니까."

"수하들이 늦나 봅니다."

"아니오. 벌써 이곳에 도착해 있소."

"네?"

도원겸은 흠칫 놀라며 노영지 주변을 둘러보았다. 하지만 수상쩍어 보이는 인물들은 어디에고 찾아볼 수가 없었다.

때마침 부관이 다섯 필의 말을 끌고 돌아왔다.

"고맙소."

강만리는 자신의 말에 올라탄 후, 부관이 끌고 온 말들의 고삐를 낚아 쥔 다음 도원겸에게 작별 인사를 건넸다.

"만나서 반가웠소."

도원겸도 작별 인사를 했다.

"두 번 다시 만나지 않기를."

강만리가 저도 모르게 피식 웃었다. 하지만 그는 이내 곧 무뚝뚝한 표정을 지은 채 천천히 말을 몰았다.

그 모습을 지켜보던 도원겸의 눈이 휘둥그레졌다. 강만리가 말을 몰아간 곳은 노영지 밖이 아니라 노영지 구석진 곳, 병졸들이 삼삼오오 모여서 수다를 떨고 있는 곳이었다.

'설마 수하들이 저기에?'

도원겸의 예상은 적중했다.

강만리가 다가가자 한쪽 구석에 따로 모여 있던 서너 명의 병졸들이 한달음에 달려와 그대로 세 필의 말에 몸을 실은 것이다.

그리고 그들은 곧바로 노영지 밖으로 말을 달렸다. 느닷없는 말들의 질주에 주변 병졸들이 화들짝 놀라며 사방으로 흩어졌다.

'헉! 병졸로 변장해 있었다니!'

지켜보고 있던 도원겸은 깜짝 놀라며 헛바람을 집어삼켰다. 자신의 부대에 강만리의 수하가 숨어 있었던 것이다. 직접 눈으로 보고서도 쉽게 믿을 수 없는 일이었다.

문득 거기에 또 다른 의문이 도원겸의 뇌리로 파고들었다.

언제부터였을까. 그렇게 저들이 병졸로 변장해서 위지휘사사의 군대에 합류한 것은.

'그런데 왜?'

먼지를 흩날리며 관도 저편으로 말을 달리는 강만리 일당을 지켜보던 도원겸은 문득 고개를 갸웃거리며 중얼거렸다.

"왜 다섯 필을 더 가지고 오라고 했을까? 말에 오른 병졸들의 수는 넷밖에 되지 않은데."

아무리 생각해도 이해할 수 없는 일들뿐이었다.

9장.

# 누구 마음대로?

도련님이라는 단어가 주는 위압감은 생각보다 훨씬 컸다.
'큰형은 아버지 대신, 큰형수는 어머니 대신'이라는 말도 있는 만큼,
"가만히 계세요, 도련님."이라고 하는 나찰염요의 말을
강만리는 도저히 거역할 수가 없었다.

## 1. 받을 돈도 남아 있네

늙은 병졸로 변장한 유 노대는 말에 올라타자마자 강만리를 향해 다급하게 속삭였다.

"예추와 군악이 아직 안가에 있네."

강만리의 눈썹이 꿈틀거렸다. 금방이라도 일그러질 것처럼 그의 안면이 씰룩거렸다.

하지만 강만리는 침착했다. 그는 가타부타 말없이 담우천과 나찰염요, 그리고 담호가 말에 오르는 걸 확인한 후 무덤덤한 얼굴로 입을 열었다.

"우선 이곳을 뜹시다."

그들은 곧장 말을 달려 노영지를 벗어났고 이후 관도를

따라 미친 듯이 질주했다.

오래간만의 만남에 반가운 인사를 나눌 새도 안부를 묻을 새도 없이, 순식간에 노영지로부터 백여 리가량 달린 후에야 비로소 강만리는 말의 속도를 늦췄다.

그는 두어 차례 주변을 살피더니 곧 관도에서 벗어나 숲 안쪽으로 말을 몰았고, 다른 이들도 그 뒤를 따라왔다.

강만리는 말에서 뛰어내리며 물었다.

"어찌 된 영문입니까?"

유 노대는 제 등 뒤에 탄 담호부터 말에서 내린 뒤 입을 열었다.

"군악이 구미호를 처리하겠다면서 마지막까지 안가에 남았지. 그런데 우리가 남천로 근처까지 올 동안 군악이 뒤따라오지 않는 게야. 예추가 이상하다면서 녀석을 찾으러 되돌아갔지. 하지만 행군이 시작될 때까지 두 녀석 다 돌아오지 않았네."

말에서 내린 유 노대는 길게 한숨을 내쉬며 말을 이었다.

"고민했네. 녀석들이 올 때까지 기다려야 하는지, 아니면 우리끼리라도 행렬에 합류해야 하는지 말일세."

"잘하셨습니다."

강만리는 속으로 한숨을 내쉬면서도 겉으로는 태연하

게 말했다.

“녀석들이라면 어떻게든 빠져나올 테니까요. 그러니 우리는 이대로 악양부를 벗어나 다른 화평장 식구와 합류하면 됩니다.”

“아니, 이대로 악양부를 떠날 수는 없네.”

“네?”

“아무래도 예감이 좋지 않으이.”

유 노대는 한 차례 입술을 깨물었다가 다시 입을 열었다.

“군악이야 평소 천지사방 어디로 튈지 모르는 녀석이니 그렇다 치더라도 예추는 다르지 않나? 언제나 신중하고 세밀하고 매사 정확한 녀석이 결국 우리와 합류하지 못했다는 건 그만큼 중대한 일이 발생했다는 뜻이 아니지 않겠나?”

“으음.”

강만리는 저도 모르게 엉덩이를 긁적였다.

‘유 사부 말씀이 맞다. 군악이라면 그렇다 치더라도 예추가 합류하지 못한 건 확실히 의외의 일이다. 그만큼 위중한 일이 발생했거나 그런 상황에 처했다는 뜻일 게다.’

강만리가 그런 생각을 하면서 난색을 취할 때, 담우천과 나찰염요가 그에게로 다가와 말을 건넸다.

“미안하게 됐네.”

담우천의 말에 강만리는 퍼뜩 상념에서 깼다.

"내가 부상을 당한 바람에 모든 게 틀어졌네."

"아, 아닙니다. 아니, 부상을 입으셨습니까? 누구에게요? 담 형님을 다치게 할 만한 인물이 금해가에 있었습니까?"

깜짝 놀라 연달아 질문을 퍼붓던 강만리는 문득 이곳으로 오기 전, 십삼매에게 들었던 인물을 떠올렸다.

"설마 그 무적검왕인가 무정검왕인가 하는 작자입니까?"

담우천이 난처한 듯 미소를 지을 때, 유 노대가 그를 대신하여 질문에 대답했다.

"무정검왕일세."

"아아……."

강만리는 경악과 당황으로 인해 입을 다물지 못했다. 유 노대가 얼른 말을 이었다.

"하지만 무정검왕은 더 큰 중상을 입었네."

"으음."

강만리는 연신 엉덩이를 긁적거리며 낮은 신음을 흘렸다. 유 노대가 초조하다는 듯 계속해서 말을 이어 나갔다.

"어쨌든 담 장주는 걱정하지 않아도 되네. 소림의 대환단과 무당의 자소단을 복용했고 그로 인해 거의 회복했으니까. 지금은 무엇보다 예추와 군악의 상황이 어떤지 확인하고 그들을 찾아내는 게 급선무일세. 그러니 한시라도 빨리 악양부로 돌아가야 하네."

"아니요, 아닙니다."

강만리는 고개를 저었다.

"지금 다시 악양부로 돌아가는 건 그야말로 제 발로 호랑이 굴을 찾아가는 것과 다를 바가 없습니다. 조금 전에 보셨잖습니까? 금해가와 태극천맹의 수백 명 고수들이 펼치고 있던 세 겹의 포위망을 말입니다. 그 안으로 다시 뛰어 들어가자고요? 그럴 수는 없습니다."

"그럼 자네는 이대로 군악과 예추를 버리겠다는 겐가?"

"말 함부로 하지 마십쇼! 버리기는 누가 버린답니까?"

거듭되는 유 노대의 닦달에 강만리가 저도 모르게 소리쳤다. 일순 분위기가 급격하게 가라앉았다. 담호는 조금 떨어진 곳에서 어른들의 눈치만 살피고 있었다.

그때, 나찰염요가 중간에서 끼어들었다.

"자자, 두 분 다 잠시 호흡 좀 가라앉히세요. 아호가 보고 있잖아요?"

그녀의 부드러운 목소리에 강만리는 길게 한숨을 내쉬며 유 노대를 향해 고개를 숙였다.

"죄송합니다. 언성이 높아졌습니다."

유 노대도 사과했다.

"아닐세. 내가 말이 심했네. 너무 감정에 휩싸여서 나온 말이네."

"잘 알고 있습니다. 누구보다도 유 사부께서 두 녀석을 좋아하시니까요."

"흥! 좋아하기는 누가 좋아한다고? 뭐, 예추라면 확실히 좋아할 만한 녀석이기는 하지만."

유 노대는 짐짓 입을 삐죽이며 그렇게 말했다.

"받을 돈도 남아 있네."

잠자코 담우천이 천천히 입을 열었다.

"조 영감이 피독주 등을 경매에 부친다는 게 내일이라고 했거든. 그러니 그 돈도 찾아야 하네."

"아니, 지금 돈이 무슨……."

강만리는 거기까지 말하다가 얼른 목구멍 속으로 집어삼켰다.

돈은 중요했다. 그것도 은자 수백만 냥이라는 거액은 확실히 중요했다. 돈이 없으면 될 일도 안 되었다. 돈이 있으면 안 될 일도 되었다.

무엇보다 저 오대가문, 나아가서 황계와 대등하게 싸우려면 그만한 돈이 반드시 필요했다.

'이런 젠장.'

강만리는 속으로 욕설을 퍼부었다.

어떻게 빠져나온 곳인데 이제 다시 돌아갈 생각을 하니 눈앞이 깜깜해지고 위까지 쓰려 왔다. 사람들은 강만리의 표정을 살필 뿐 누구 하나 입을 열지 않았다.

그때였다.

담호가 조심스럽게 말했다.

"제가 가 볼까요?"

"안 돼."

"안 된다."

"아니."

"그만 됐다."

동시에 네 명의 입이 열리고 비슷한 말들이 튀어나왔다. 일순 네 명은 쓴웃음을 흘리며 고개를 저었다. 담호의 어깨가 축 늘어졌다.

강만리가 부드러운 어조로 말했다.

"이미 너는 충분히 한 사람 몫을 했다. 그러니 이제는 이 숙부와 다른 어른들에게 맡기려무나."

유 노대가 담호에게 다가가 어깨를 두드리며 말했다.

"그래. 네가 자격이 안 되어서 안 된다고 한 게 아니다. 연거푸 네게만 부담을 줄 수 없기 때문에 안 된다고 하는 게야. 그러니 이번에는 강 숙부 말대로 우리에게 맡기렴."

"그럼 어떻게 하실 건데요?"

담호가 용기를 내어 물었다. 유 노대는 강만리를 돌아보았다. 강만리는 속으로 한숨을 내쉬며 입을 열었다.

"어떻게 하기는. 악양부로 돌아가서 네 못난 숙부들을

찾아봐야지.”

“그 전에…….”

나찰염요가 강만리의 손을 보며 말했다.

“그 보기 흉한 쇠화살부터 뽑아야 할 것 같아요, 도련님.”

* * *

도련님이라는 단어가 주는 위압감은 생각보다 훨씬 컸다. ‘큰형은 아버지 대신, 큰형수는 어머니 대신’이라는 말도 있는 만큼, “가만히 계세요, 도련님.”이라고 하는 나찰염요의 말을 강만리는 도저히 거역할 수가 없었다.

“팔 내미세요, 도련님.”

강만리는 고분고분 팔을 내밀었다.

“조금 아플 거예요.”

나찰염요는 비수로 화살 깃을 제거한 다음, 강만리의 손바닥에 박혀 있던 쇠화살을 단숨에 빼냈다. 격렬한 통증과 함께 지혈로 막아 두었던 피가 다시 흘러나오기 시작했다.

나찰염요는 빠르고 숙달된 손놀림으로 지혈을 하고 금창약을 뿌리고 천으로 칭칭 동여맸다. 그리고 숲 주변에서 쓸만한 나뭇가지를 찾아서 부목을 대신했다.

“아무리 못해도 서너 달은 안정을 취해야 할 거예요.”

"뭐 서너 달씩이나……."

"그것도 좋은 영약과 훌륭한 의생이 있다는 가정하에서 그렇다는 거예요, 도련님."

"아, 네."

"무리하지 마세요."

"네, 알겠습니다."

강만리는 식은땀을 흘리며 자리에서 일어났다.

'나도 영문을 모르겠네. 왜 도련님이라는 소리를 들을 때마다 꼼짝 못하겠는지 말이야.'

강만리는 속으로 혀를 내두르고는 얼른 나찰염요의 곁을 떠나 담우천에게로 다가갔다.

담우천은 고목에 등을 기대고 앉은 채 운기조식을 하고 있다가, 강만리가 다가오자 호흡을 길게 들이마시며 눈을 떴다.

"방해했습니까?"

"아니다."

담우천은 차분하게 물었다.

"그래, 이제 어찌할 생각인가?"

"글쎄요."

강만리는 어깨를 으쓱거리며 되물었다.

"담 형님은 어찌하면 좋겠습니까?"

## 2. 제가 싫은 건가요?

숨이 턱까지 차올랐다.

도망과 도주로 점철된 인생인지라 쫓기는 데에는 이골이 난 설벽린이었지만, 지금처럼 도망치기에 급급한 건 또 오랜만이었다.

그는 악양부 남쪽 골목길을 이리저리 돌면서 추격을 피하려 했지만, 수십 명의 추격꾼들은 포기하지 않고 끈질기게 뒤를 따라잡았다.

삐익! 삑!

연신 호각 소리가 곳곳에서 울려 퍼지는 가운데 포위망이 점점 더 좁혀들고 있었다.

"이런, 제기랄!"

설벽린의 등 뒤에 바짝 붙어서 달리던 만해거사가 욕설을 퍼부으며 투덜거렸다.

"도대체 언제까지 쫓아올 작정이냐? 대충 포기하고 돌아간다고 해서 누가 뭐라 할 것도 아닌데 말이지."

"조금만 시간을 벌면 됩니다."

설벽린은 말하기도 벅찬 듯 씩씩거리며 그렇게 만해거사를 달랬다.

아닌 게 아니라 조금의 시간, 일각도 아닌 반각의 시간만 따돌릴 수 있다면 그다음부터는 훨씬 더 수월해질 것이다. 설벽린은 그럴 자신이 있었다.

대로를 따라 달리던 그는 다시 골목길을 선택하여 들어섰다. 막 골목길을 나서던 행인과 하마터면 부딪칠 뻔했다.

"어이쿠!"

넘어질 뻔했던 행인은 얼른 뒤를 돌아보면서 한바탕 욕설을 퍼부으려고 했다. 그러나 설벽린과 만해거사의 모습은 순식간에 사라지고 보이지 않았다.

"사람을 치고도 사과 한번 없이 도망치다니, 어디 한번 잡혀 보기만 해 봐라."

행인은 구시렁거리면서 옷을 털었다. 하지만 다음 순간, 행인은 느닷없이 달려온 세 명의 무림인들에게 부딪쳤다. 행인은 비명도 지르지 못한 채 나가떨어져야 했다.

이리저리 굽어진 골목길을 따라 쉴 새 없이 달리던 설벽린의 눈빛이 한순간 빛났다. 골목길 안쪽, 한 명의 여인이 막 문을 열고 자신의 집으로 들어서고 있었다.

'됐다!'

설벽린은 단숨에 삼사 장의 거리를 격하고 여인에게로 달려갔다.

"어머……."

막 문을 걸어 잠그려다가 느닷없이 코앞에 나타난 설벽린을 본 여인은 새된 비명을 내지르려고 했다.

그러나 설벽린의 손이 훨씬 더 빨랐다. 그의 손은 문 사이를 비집고 들어가 순식간에 여인의 수혈(睡穴)을 짚었다.

"으음."

여인의 몸이 축 늘어지는 순간, 설벽린은 재빠르게 대문 안으로 들어서며 여인을 부축해 안았다. 곧이어 만해거사가 대문 안으로 뛰어 들어왔고, 설벽린은 거의 동시에 문을 걸어 잠갔다.

"내가 들어오지 못했으면 어쩌려고……."

만해거사가 성을 내려 할 때, 설벽린이 손가락을 제 입에 가져다 대며 주의를 주었다.

"쉿."

만해거사는 얼른 입을 다물고 귀를 쫑긋거렸다.

불과 열을 헤아리기도 전, 바람을 가르고 질주하는 파공성이 대문 밖으로 스치듯 지나갔다. 그들의 뒤를 뒤쫓아 골목으로 뛰어든 무림인들의 기척이었던 것이다.

"자, 안으로."

설벽린은 기척들이 저 멀리 사라지자 만해거사를 향해 소곤거리며 집 안으로 들어섰다.

방 안에는 몸이 불편한지 한 명의 노파가 누워 있다가, 낯선 침입자들의 등장에 깜짝 놀라 소리치려 했다.

그러나 이번에도 설벽린의 손이 먼저였다. 순식간에 혼

혈을 제압당한 노파는 그대로 잠들었다. 설벽린은 안고 있던 여인을 조심스레 노파의 옆에 눕혔다.

"그럼 이제 여기에서 폭풍이 지나갈 때까지 기다려야 하나?"

만해거사가 좁고 허름한 방안을 둘러보며 물었다.

"설마요."

설벽린은 방 안 곳곳을 뒤지며 대꾸했다.

"마냥 이곳에 있을 시간이 어디 있다고요, 우리에게. 얼른 빠져나가서 합류해야죠."

"하지만 어떻게?"

"이렇게요."

설벽린은 원하던 걸 찾은 듯 활짝 웃으며 말했다. 만해거사는 눈을 휘둥그레 뜨고는 설벽린이 찾은 걸 바라보며 떨떠름하게 물었다.

"그걸로 뭐하게?"

"뭐하긴요? 당연히 변장해야죠."

설벽린은 장롱 안쪽 깊숙한 곳에 모셔져 있던 연지분(臙脂粉)을 꺼내 들며 말했다.

그의 이야기에 만해거사는 질색했지만, 천만다행으로 그는 변장하지 않아도 되었다.

"만해 사부는 굳이 연지분을 사용하지 않더라도 스스로 변장이 가능하시잖습니까? 홀쭉해졌다가 뚱뚱해지는 식으로 말입니다."

"아, 그렇지. 깜빡 잊고 있었군그래."

만해거사는 제 이마를 치고는 이내 유가기공(瑜伽氣功)을 운용하여 몸집을 부풀리기 시작했다.

설벽린은 동경(銅鏡)을 보지도 않은 채 제 얼굴에 지분을 바르고 연지를 찍는 등 여인의 화장을 하면서 말했다.

"옷이 찢어질 정도로 뚱뚱해지시면 안 됩니다."

"나는 내가 알아서 할 테니까 네 녀석 화장이나 잘해라."

만해거사가 지금 입고 있는 옷은 화평장 사람들이 심혈을 기울여 제작한 것으로, 신축성이 뛰어나고 곳곳에 보이지 않는 여유분이 있어서 어느 정도 체형이 커져도 찢어지지 않게 만들어져 있었다.

만해거사의 홀쭉 마른 체형이 강만리의 그것과 비슷해졌지만, 살짝 헐렁한 것이 아직 여유분이 남아 있었다. 만해거사는 만족스럽다는 듯이 고개를 끄덕이며 말했다.

"옷을 받자마자 시험해 보기는 했지만 역시 딱 이 정도가 적당한 것 같다니까. 예서 더 뚱뚱해지면 보기가 싫어. 옷매무새도 살지 않고. 안 그런가? 어헉!"

설벽린을 돌아보며 질문을 던지던 만해거사가 깜짝 놀라라 헛바람을 집어삼켰다. 어느새 설벽린의 얼굴이 아름답고 우아한 여인의 얼굴로 바뀌었던 것이다.

설벽린이 배시시 웃으며 물었다.

"어울리나요, 영감?"

"으으으."

만해거사는 저도 모르게 몸서리를 쳤다. 설벽린의 입에서 흘러나온 목소리는 영락없는 여인의 음성, 그것도 꾀꼬리처럼 아름답고 옥구슬 구르듯 낭랑한 목소리였다.

설벽린은 다시 장롱을 뒤져 여인의 옷을 꺼내며 말했다.

"동생보다 더 아름답다는 이야기도 들어 봤죠. 심지어 내 여인마저 내 미모를 질투하여 불같이 화를 내기도 했고요."

"그 목소리 좀 어찌할 수 없겠느냐? 네가 누구인지 몰랐다면야 모르겠지만, 벽린인 줄 알고 듣자니 온몸에 소름이 돋는구나."

"호호호. 그래도 연습 겸 계속 이렇게 말해야 하거든요. 근 일 년 동안 계집 목소리를 내지 않아서 어색할 수가 있으니까요."

설벽린은 그렇게 말하며 여인의 옷으로 갈아입었다. 순간 설벽린은 완벽하게 지워지고 대신 쉽게 찾아볼 수 없는 미모의 여인이 나타났다.

눈을 가늘게 뜨고 잠시 설벽린의 아래위를 훑던 만해거사는 고개를 홰홰 내저으며 한숨을 쉬었다.

"마치 예전의 그 젊고 아름다웠던 야래향을 보는 것만 같구나. 빌어먹을, 네가 사내자식이라는 걸 아는데도 이렇게 마음이 싱숭생숭해지다니!"

"호호호. 사부 잘못이 아니에요. 다들 그랬으니까요."

설벽린은 교태롭게 웃으며 만해거사의 팔짱을 끼려 했다. 만해거사는 깜짝 놀라며 뒤로 물러났다. 설벽린은 문득 우울한 표정을 지으며 토라진 척 붉은 앵두 같은 입술을 뾰루퉁하게 내밀었다.

"제가 싫은 건가요, 만해 사부?"

"으으으. 그만하라니까."

만해거사는 손사래를 쳤고, 설벽린은 깔깔 웃었다.

## 3. 사내들이란

"거기, 잠깐만."

골목길을 빠져나오던 남녀 한 쌍은 묵직한 목소리에 발걸음을 멈추고 뒤를 돌아보았다. 한 명의 중년인과 두 명의 청년이 무기를 빼든 채 바람처럼 달려왔다.

할아버지와 손녀 정도로 보이는 한 쌍은 그들이 무섭고 두려운 듯 겁에 질린 표정을 지으며 주춤 물러섰다.

"무서워하지 마시오. 우리는 금해가 사람들이오."

그들의 얼굴을 확인한 중년인은 조금 부드러워진 목소리로 말했다.

"몇 가지 묻고 싶은 게 있어서 불러 세웠을 뿐이니, 묻는 말에 정직하게 답하면 바로 돌려보내 드릴 것이오."

뚱뚱한 노인이 헛기침을 하며 말했다.

"말씀하시지요."

"그러니까 혹시 도망치는 늙은이와 청년을……."

중년인은 이야기 도중 문득 여인의 얼굴을 보고는 깜짝 놀라 말을 잇지 못했다.

'이렇게 아름다운 여인이 있다니…….'

중년인은 저도 모르게 침을 꿀꺽 삼켰다.

물론 살아온 세월이 있다 보니 중년인 나름대로 적지 않은 미녀들을 만나고 보았으며, 또 사귀거나 혹은 잠자리를 같이한 적도 있었다.

중년인이 소속된 금해가의 금지옥엽인 초운혜만 하더라도 악양부 최고의 미녀 소리를 듣기에 충분했으며, 몇 달 전 하룻밤 정사를 치렀던 수정루의 운화(雲華) 조민만 하더라도 경국지색이라는 단어가 무색하지 않은 요물이었다.

그러나 지금 자신의 눈앞에 서서 벌벌 떨고 있는 이 여인은 그 어떤 여인들과 달랐다.

청초하면서도 요염하고 순진하게 보이면서도 매혹적이

고 부드러우면서도 뇌쇄적인, 그야말로 이중적인 매력을 동시에 지닌 여인이었다. 굳이 비교해서 말하자면 초운혜와 조민의 장점을 한꺼번에 갖고 있다고나 할까.

"무슨 말씀을 하시는 것인지요?"

가만히 있던 노인이 답답한 듯 물었다. 그제야 중년인은 퍼뜩 상념에서 깨어났다.

"허험."

그는 자신의 불찰을 깨닫고 살짝 얼굴을 붉혔다. 행여라도 제자들이 자신의 추태를 알아차리기라도 한다면 그 또한 낭패라는 생각이 들어, 중년인은 저도 모르게 뒤를 돌아보았다.

하지만 그건 기우였다.

두 명의 청년 모두 이미 여인의 미모에 넋이 나가 있었다. 그들은 꼬리 아홉 달린 여우에게라도 홀린 듯 멍하니 눈을 뜬 채 여인의 얼굴을 정신없이 바라보고 있었다.

중년인은 쓰게 웃었다.

'그래, 나도 한순간 넋을 놓았으니 하물며 혈기방장한 너희들이야 어련할까?'

중년인은 다시 뚱보 노인을 돌아보며 입을 열었다.

"조금 전 이 골목으로 청년과 늙은이가 뛰어 들어갔는데 혹시 보지 못하셨소?"

뚱보 노인은 고개를 저으며 말했다.

"본 적이 없소이다. 너는 봤느냐?"

노인의 물음에 아름다운 여인은 부끄럽다는 듯이 고개를 숙이며 대답했다.

"저도 보지 못했어요, 할아버지."

'참으로 안타깝구나.'

중년인은 여인의 옷차림새가 평범하고 소박하다는 걸 보며 아쉬워했다.

'화려한 비단옷을 걸쳤더라면 지금보다 몇 배는 더 아름다울 텐데 말이지.'

중년인은 속으로 혀를 차면서 입을 열었다.

"알겠소. 시간을 뺏어서 죄송하오."

중년인은 손을 모아 인사를 한 후 골목 안쪽으로 걸음을 옮겼다. 하지만 그는 여전히 두 제자가 여인만 바라보고 있다는 사실을 깨닫고는 낮은 목소리로 질책하듯 말했다.

"뭣들 하느냐? 얼른 따라오지 않고!"

두 청년은 잠에서 깬 듯 화들짝 놀라며 정신을 차렸다. 그들은 곧 중년인을 따라 골목으로 들어섰다. 그러나 청년 중 한 명이 얼른 골목을 빠져나와 여인에게 물었다.

"이름이 어찌 되십니까?"

여인은 부끄러워하며 말했다.

"소녀의 이름은 알아서 뭐하시게요?"

"나중에 한번 찾아뵙고 정식으로 인사드리려고요."

"뭐 하느냐? 얼른 오지 않고!"

골목길 안쪽에서 중년인의 목소리가 들려왔다. 청년은 빠른 어조로 말했다.

"제 이름은 청수(淸修), 성은 안(安)이라고 합니다. 나중에 반드시 꼭 찾아뵙겠습니다."

그렇게 제 이름을 밝힌 청년은 허둥지둥 골목길로 사라졌다. 그 뒷모습을 지켜보던 노인이 문득 피식 웃음을 터뜨리며 중얼거렸다.

"정말 사내자식들이란 다 똑같다니까. 속이 진짜 여인인지 사내인지, 우악스러운지 호들갑스러운지 같은 건 전혀 아랑곳하지 않고 오로지 외모만 본단 말이지."

여인도 따라 웃으며 말했다.

"원래 그리 생겨 먹었으니까 사내라는 거죠. 사내이기 때문에 그런 게 아니라."

"흠, 그럼 나는 사내가 아닌 모양이로군. 너를 보고도 부처님 아랫도리처럼 평온한 걸 보면 말이지."

"설마요? 제가 마음만 먹으면 사부도 저 사내들처럼 침을 질질 흘리게 될 건데요."

"허어, 누구 마음대로?"

노인, 만해거사는 코웃음을 치며 말했다.

"이래 봬도 정파의 수많은 여협들이 유혹해도 넘어가

지 않았던 사람이야. 심지어 저 포달랍궁의 미인들이 벌거벗고 유혹했어도 꿈적하지 않았지."

"그건 그녀들이 가볍고 단순하게 생각해서 그런 거죠. 비록 단순한 사내들이기는 하지만, 또 그런 사내를 유혹하려면 결코 단순하게 행동해서는 안 되거든요. 머리를 써서, 사내를 밀고 당길 줄 알아야 한다는 거죠."

여인, 아니 여인으로 변장한 설벽린이 즐겁다는 듯이 깔깔 웃으며 말했다.

"됐다."

만해거사가 눈살을 찌푸리며 말했다.

"어쨌든 나는 네 유혹에 넘어갈 사람이 아니니 포기하도록 해라."

설벽린이 묘하게 눈웃음을 치며 달콤한 목소리로 말했다.

"누구 마음대로요?"

만해거사가 다시 한번 부르르 몸을 떨었다.

* * *

만해거사와 설벽린은 북천로로 향하는 큰길을 따라 느긋하게 걸었다.

마주 오던 행인들은 하나같이 설벽린을 보고는 걸음을

멈췄다. 그리고 설벽린의 모습이 인파 속으로 사라질 때까지 그 자리에 멈춰 선 채 하염없이 지켜보았다.

물론 그중 몇몇은 용기 있게 다가와 그녀에게 수작을 걸기도 했다. 설벽린은 그때마다 부끄럽다는 듯이 고개를 숙였고, 대신 만해거사가 "어디서 감히 내 손녀딸을!" 하며 호통을 쳐서 사내들을 내쫓았다.

"이것도 귀찮구나."

만해거사는 투덜거렸다.

"다음에 혹시 다시 변장할 일이 생기면 그때는 눈도 마주치지 못할 정도의 추녀로 변장해라. 이거야 원, 사람들 시선이 뜨거워서 제대로 걸을 수가 없으니."

"하지만 추녀보다 이게 훨씬 좋은 변장이거든요."

설벽린은 미소를 머금으며 나지막하게 소곤거렸다.

"자고로 미인은 사람들의 경계를 풀고 하고 마음을 안심시키는 매력이 있으니까요. 누군가의 추격을 따돌리고 검문검색을 피하기에는 이게 최고라니까요."

도망과 도주의 전문가라 할 수 있는 설벽린의 주장에, 만해거사는 어깨를 으쓱거렸다.

"하기야 거지로 변장하는 것보다는 부자로 변장하는 게 낫지. 아무래도 신분이 낮고 미천한 자들에 대한 경계심이나 의심의 눈초리가 훨씬 더 짙고 강할 수밖에 없으니까."

"그래서 변장을 하고 잠입할 때에는 늘 부자나 미녀로 변장하잖아요? 봐요. 이렇게 금해가 무사들이 곳곳에 서서 날카롭게 행인들을 지켜보고 있지만 누구 하나 우리에게 말을 걸거나 발길을 멈추게 하는 이가 없잖아요."

아닌 게 아니라, 지금 그들이 걷는 큰길에는 수십 명의 금해가와 태극천맹의 무사들이 일정한 간격을 두고 배치되어 있었다.

무사들은 매처럼 날카로운 시선으로 오가는 행인들을 관찰하다가, 뭔가 수상쩍거나 의심스럽게 여겨지는 이들이 있으면 불문곡직 멈춰 세워 조사했다.

그러나 그들 중 설벽린의 미모에 홀려 넋이 나간 자는 있어도 그들을 불러 세우는 이들은 단 한 명도 없었다.

"그나저나 다른 녀석들은 다들 무사하겠지?"

만해거사의 말에 설벽린은 당연하다는 듯이 대답했다.

"무사하니까 이들이 이렇게 철통같은 경계를 서고 있는 게 아니겠어요?"

"흠. 그럼 우리는 미리 약속한 장소로 이동해야겠군."

"그래야겠죠. 그나저나 왜 하필이면 통성(通城)의 관제묘(關帝廟)에서 만나자고 했을까요? 무한의 황학루(黃鶴樓)처럼 찾기 쉽고 다들 아는 곳이 훨씬 나을 텐데요."

"우리가 찾기 쉽고 다들 아는 곳이라면 그만큼 다른 사람들도 찾기 쉬우니까."

"그럼 통성의 관제묘가 어디 있는지 잘 아세요?"

"물론. 내가 모르는 곳이 또 어디 있겠느냐?"

"아휴, 정말 그 허세는 진짜 어쩔 도리가 없네요."

"허어. 허세는 무슨 허세, 사실이 그렇다니까. 너는 왜 내가 사실을 말해도……."

"알았어요. 알았어요. 그럼 통성 관제묘까지의 길은 만해 사부께 맡길게요."

그렇게 사이가 좋은지 나쁜지 알 수 없는 대화를 도란도란 나누는 동안, 그들은 어느덧 북천로로 접어들고 있었다.

멀리 위용 넘치는 북문의 자태가 보였다. 평소보다 더 많은 행렬이 북문을 통과하기 위해 줄지어 있었다.

"아무래도 우리들 때문에 검문검색을 세세하고 심하게 하다 보니 줄이 길어지는 거겠지."

만해거사가 그렇게 중얼거릴 때였다.

"어라?"

북문 쪽을 바라보며 걷던 설벽린의 눈이 휘둥그레졌다.

"저 사람들, 왜 되돌아오는 거지?"

10장.

# 사내들의 숙명(宿命)

"이게 숙객의 힘이지요. 평소에는 드러나지 않지만,
문제가 생겼을 때는 반드시 나서서 해결할 수 있는 자가 있다는 것,
그게 숙객들이라오.
평소 우리가 놀고먹는 건 바로 그렇게 우리가 필요할 때를 위함이라오."

## 1. 대책(對策)

강만리의 위협 아닌 위협에 퇴각한 태극천맹 무사들은 황급히 사마외도의 복장을 벗고 태극천맹의 무복으로 갈아입었다.

그들은 곧 일정한 거리를 두고 장사 위지휘사사의 부대를 쫓기 시작했다. 위지휘사사의 부대는 태극천맹의 무사들이 자신들의 뒤를 쫓고 있다는 사실도 모른 채 북문을 통과하고는 수십 리 떨어진 곳에 노영을 하기 시작했다.

태극천맹 무사들은 조를 나눈 후 노영지를 넓게 포위하며 경계를 늦추지 않았다.

아직 저 위지휘사사가 굳이 남천로를 통과한 의도를 모르는 이상, 조금 더 추이를 지켜봐야 했다.

어쩌면 태극천맹과 금해가가 뒤쫓고 있던 그 다섯 명의 신비인들과 접촉할지도 모르는 일이었으니까.

한편 금해가 무사들은 남천로 주변 건물과 골목 안에 몸을 숨긴 채 장사 위지휘사사의 부대가 남천로를 통과하는 광경을 지켜보았다.

하지만 그들은 부대 후미에서 빠르게 합류한 담우천 일행을 알아차리지 못했다. 그들의 경계망에 부대 후미가 포착될 때는 이미 담우천 일행이 그곳에 합류한 뒤였다.

결국 금해가 무사들은 아무것도 알아차리지 못한 채 위지휘사사의 부대가 남천로를 통과하여 저 멀리 북천로로 들어서는 걸 지켜보고만 있어야 했다.

금해가 무사들을 이끄는 천호대군은 부대의 행렬이 시야에서 사라지자마자 곧바로 남천로 중앙으로 돌아왔다.

그곳에서 천호대군은 객잔 지붕에서 추락하듯 뛰어내렸다가 순식간에 목숨을 잃은 두 구의 시신을 한동안 유심히 관찰했다.

"믿을 수 없군."

천호대군이 천천히 몸을 일으키며 중얼거렸다.

"사문도(死紋刀)와 산백초검(散魄招劍)을 단 일격에 해치우는 자가 있다니……."

물론 천호대군은 당시 사문도와 산백초검이 죽는 광경을 보기는 했다. 그러나 워낙 거리도 떨어져 있었거니와, 금해가 무사들과 태극천맹 무사들, 그리고 위지휘사사의 병졸들이 그의 시야를 가로막고 있어서 한순간 무슨 일이 벌어졌는지 정확하게 파악할 수가 없었다.

그래서 뒤늦게 지금 이렇게 그들의 시신을 살펴보면서 단 한 번의 칼질에 그들 두 명이 절명한 사실을 확인할 수 있었던 것이다.

"하지만 무슨 도법(刀法)을 사용했는지는 전혀 알 수 없군그래. 이 정도 무위를 지닌 도법이라면 손가락 안에 꼽힐 터, 나름대로 제법 많은 경험을 했다고 생각했는데도 처음 접하는 도법이다."

당연한 일일 것이다.

남궁세가의 제왕검해는 상대 무공의 허점과 사각, 동작과 동작이 연결되는 순간의 빈틈을 노려 역습하는 검법이었다.

그러니 따로 구체화한 초식이나 투로가 존재하지 않았으니, 천호대군이 아무리 기억을 더듬어 봐도 도저히 알아낼 수가 없었다.

그가 인상을 찡그린 채 고개를 갸웃거릴 때였다. 몇몇 무사들이 삼 층 객잔 지붕 위에서 소리쳤다.

"철시십관과 고월비검(孤月飛劍) 모두 살해되었습니다!"

"그렇겠지."

천호대군은 고개를 들어 삼 층 객잔 지붕까지의 거리를 확인한 다음, 지면을 박차고 단번에 날아올랐다. 아직도 가시지 않은 피비린내가 훅 하고 그의 코로 스며들었다.

천호대군은 가볍게 눈살을 찌푸리면서 두 구의 시신 상태를 확인했다.

철시십관은 목이 부러진 채 꼬꾸라져 있었다.

천호대군은 그를 돌아 눕혔다. 활은 부러졌고, 두 손목이 잘려져 있었다.

"활을 들어서 막으려다가 손목까지 베인 게군."

천호대군은 단번에 당시 상황을 파악했다. 그러고는 다시 몸을 일으켜 고월비검의 시신을 살폈다.

반쯤 베어진 목에서는 아직도 마르지 않은 피가 흘러나왔다. 다른 부상이 보이지 않는 걸로 미루어 보건대, 단일격에 목이 베여 목숨을 잃은 것이리라.

"이것 참."

잠시 시신을 관찰하며 사인을 살피던 천호대군은 쭈그리고 있던 몸을 일으키며 머리를 긁적였다.

"상대하기 꽤 벅찬 놈이다."

절로 한숨이 흘러나왔다.

"문제는 이놈이 위지휘사사 쪽의 인물인지, 아니면 저 황계의 안가에 숨어 있던 다섯 명 중의 한 명인지 확실하지 않다는 점인데…….”

만약 위지휘사사 쪽의 숨은 고수라면 더는 걱정하지 않아도 된다. 어쨌든 그들은 이미 남천로를 떠났으니까.

설마 일반 군대에 그만한 고수가 있을 리 만무하다고 생각할 수도 있었다.

하지만 천호대군은 자신의 두 눈으로 똑똑히 보았다. 도원겸을 호위하고 있던 뚱뚱한 장수 하나가 창을 날려 금해가 무사 셋을 산적 꿰듯 관통한 광경을.

그 뚱뚱한 장수도 결코 이 철시십관들을 해치운 자 못지않은 실력을 지니고 있었으니, 병졸이라고 해서 무공이 약할 것이라는 생각은 지워야 했다.

‘어쩌면 금의위나 동창과 관련된 자들일지도.’

직접 본 적은 없었지만 금의위나 동창에 소속된 자들의 무공은 강호 무림인들의 그것에 견주어도 손색이 없다는 이야기는 익히 들어 알고 있었다.

그중에는 절정을 넘어 초절정에 이른 고수들도 있다고도 했으니, 만약 그 뚱뚱한 장수나 이 철시십관들을 살해한 자가 금의위, 혹은 동창 소속의 인물일 수도 있었다.

“만약 그게 아니라 안가 쪽 놈들 중 한 명이라면…….”

중얼거리는 천호대군의 얼굴이 급격하게 어두워졌다.

그는 다른 이들과는 달리, 황계의 안가에 은신하고 있는 다섯 명 중 한 명이 무정검왕에게 큰 중상을 입혔다는 사실을 알고 있었다.

직접 안가를 공격하지 않고 이렇게 삼중 포위망을 형성하여 엄중한 경계를 펴는 것도 바로 그런 이유 때문이라고 들었다.

'다섯 명 중 한 명만 강한 게 아니라 다섯 명 모두 절대 고수일지도…….'

만약 다섯 명 모두 무정검왕과 비슷한 실력을 지녔다면 확실히 정면으로 부딪쳐 싸우는 건 상당히 두려운 일이었다. 이렇게 결계를 형성하여 그들의 움직임을 봉쇄하면서 원군을 기다리는 게 가장 효율적이고 안전한 대책이기는 했다.

'그러나 마냥 이렇게 있을 수는 없다.'

자신이 본 것만 해도 벌써 네 명의 숙객이 목숨을 잃었다. 거기에 칠절우사의 말을 빌자면 안가를 염탐하러 갔던 두 명의 숙객도 돌아오지 않는다고 했으니, 그들 역시 이미 목숨을 잃었을 것이다.

어쩌면 자신들이 포위망을 구축한 게 아니라, 놈들에게 하나씩 사냥을 당하고 있는 것인지도 모른다.

거기까지 생각이 미친 천호대군은 저도 모르게 몸을 부르르 떨었다. 팔뚝에 소름이 돋았다.

들판에서 풀을 뜯는 수백 마리의 양 떼, 그리고 수풀 속에 숨어 있는 다섯 마리의 호랑이.

그런 전경이 머릿속에 떠오른 까닭이었다.

'마냥 당하고 있을 수는 없다.'

천호대군은 이를 악물었다.

'설마 다섯 명 모두 무정검왕 같은 절대 고수일 리는 없겠지. 아무리 강호가 넓고 기인이사가 모래알처럼 많다고는 하지만, 무림십왕 정도 되는 고수는 절대 흔하지 않은 법이다.'

천호대군은 오랫동안 신중하게 고민한 후 결정했다. 그는 부관을 돌아보며 입을 열었다.

"가서 각 포위망의 책임자를 불러와라."

"존명!"

부관이 대답했다.

얼마 지나지 않아 세 번째 포위망의 책임자인 칠절우사와 두 번째 포위망의 책임자인 익양 지부주 진강이 객잔 지붕 위로 날아왔다.

그들은 객잔 지붕 위에 펼쳐져 있는 참극을 보고는 살짝 놀란 표정을 짓고는 천호대군에게 다가와 물었다.

"무슨 일이오?"

천호대군은 심각한 얼굴로 그들에게 제 생각을 밝혔다. 칠절우사와 진강의 얼굴도 함께 심각해졌다. 이윽고 천호대군의 이야기가 끝났다.

한동안 침묵을 지키며 곰곰이 생각하던 칠절우사가 수염을 매만지며 말했다.

"그러니까 포위망을 안가 일대로 압축한 후 우리가 직접 안가를 염탐하자, 이것이오?"

천호대군이 고개를 끄덕이며 말했다.

"그렇소. 다른 사람이 아닌 우리가 직접 나서야 할 것 같소. 거기에 수하들 중 가장 뛰어난 실력을 지닌 자들 십여 명과 함께라면, 아무리 놈들의 무위가 강하다 할지라도 절대 지지는 않을 테니까."

"흥! 지지는 않을 거라니, 대군께서는 너무 우리를 과소평가하고 있구려."

"허허. 그렇소이까?"

"비록 철시십관들이 목숨을 잃었다고는 하지만 어디까지나 기습, 암습에 당했을 뿐이오. 정면으로 부딪쳐 싸웠다면 결코 이렇게까지 속수무책으로 당하지는 않았을 것이오."

그저 주변을 한 번 훑어본 것만으로도 당시 이 지붕 위에서 어떤 일이 벌어졌는지 다 알아냈다는 듯이 칠절우사는 오만한 목소리로 말했다.

"나를 포함한 십팔숙객이 직접 나선다면, 아무리 놈들이 날고 긴다 할지라도 결코 우리를 감당하지 못할 것이오."

"그리해 주시면 감사할 따름이오."

천호대군은 그렇게 말한 후 다시 진강을 돌아보았다. 진강은 살짝 고민하다가 고개를 끄덕이며 입을 열었다.

"알겠소이다. 각 지부에서 보내 준 최고의 실력자 열 명을 차출하여 대령하겠소이다."

"고맙소. 나 또한 본가에서 가장 뛰어난 고수 열 명을 선별하겠소. 거기에 십팔숙객까지 함께한다면 확실히 두려울 게 없을 것 같기는 하오."

"그럼 일각 후에 놈들의 안가에서 만납시다."

세 사람은 그렇게 합의한 후 곧장 자리를 떴다.

## 2. 숙객의 힘

포위망이 급격하게 좁혀졌다.

위지휘사사의 행렬을 추격하러 나선 자들과 설벽린, 만해거사를 뒤쫓고 있는 이들을 제외하고도 이 남천로 일대에는 약 이백 명 이상의 고수들이 몰려 있었다.

그들이 반경 이백여 장 안으로 몰려들었으니, 그야말로 안가 일대는 빽빽하게 사람들로 가득 찼다.

그런 가운데 천호대군과 칠절우사, 진강이 한자리에 모였다. 안가로 향하는 골목길 어귀에서 진을 친 그들은 골목길을 바라보며 잠시 고민에 빠져 있었다.

"아무래도 저 주변에 진법이 펼쳐진 것 같소."

"나 역시 그리 생각하오. 저 아지랑이같이 희뿌연 흔들림은 확실히 진법이 펼쳐졌을 때의 광경이니 말이오."

"음, 제가 데리고 온 이들 중에는 진법가(陣法家)가 없습니다만……."

"아, 숙객 중에 진법에 관한 전문가가 있잖소?"

"흠, 진법이 있을 거라고 생각하지 않아서 후방에 배치해 두었소. 얼른 연락을 취해 이리로 오라 해야겠구려."

칠절우사는 곧장 진법의 전문가를 불렀다.

잠시 후, 도관을 쓴 중년 도사 한 명이 달려왔다. 칠절우사는 그가 인사하기도 전에 서둘러 입을 열었다.

"저 골목길 안쪽에 펼쳐진 진법, 파훼하실 수 있겠소?"

중년 도사는 힐끗 골목길을 보더니 피식 웃으며 말했다.

"초보자가 펼친 진법입니다. 저렇게 아지랑이가 피어오르는 걸 보면요."

"그럼 쉽게 파훼하시겠구려?"

"물론입니다."

중년 도사는 서슴없이 골목길 안으로 들어섰다. 이내 그는 술에 취한 듯 이리저리 비틀거리며 골목길을 걸어갔다.

그렇게 골목 한가운데까지 걸어간 중년 도사는 갑자기 걸음을 멈추고 아무것도 없는 벽을 여기저기 만지고 비비기 시작했다.

가만히 중년 도사가 하는 양을 지켜보던 천호대군이 눈을 동그랗게 뜨며 중얼거렸다.

"저게 뭐하는 짓…… 음?"

일순 눈이 밝고 깨끗해지는 느낌과 함께 골목길의 아지랑이가 사라졌다.

동시에 그저 애무하듯 쓰다듬는 것 같았던 벽은 온데간데없이 사라지고, 대신 그 자리에는 믿을 수 없게도 지금까지 보이지 않았던 새로운 대문이 모습을 드러냈다.

바로 그것이 진법의 결계로 꽁꽁 감춰 두었던 안가의 대문이었다.

중년 도사는 천호대군 쪽을 바라보며 씨익 웃었다. 칠절우사가 어깨를 으쓱거리며 말했다.

"우리에게 이 정도는 기본이오."

천호대군이 뭐라 말할 틈도 없이, 중년 도사가 안가 대문을 열고 안을 확인하더니 크게 소리쳤다.

"이곳에도 또 다른 진법이 펼쳐져 있습니다!"

중년 도사는 잠시 그렇게 고개만 들이민 채 대문 안을 살피다가 다시 소리쳤다.

"칠성진의 한 종류인 것 같습니다."

천호대군이 물었다.

"파훼하기 힘드오?"

"반각의 시간만 주십시오!"

"허어, 대단하군."

천호대군이 혀를 내둘렀다. 칠절우사가 거들먹거리듯 말했다.

"이게 숙객의 힘이지요. 평소에는 드러나지 않지만, 문제가 생겼을 때는 반드시 나서서 해결할 수 있는 자가 있다는 것, 그게 숙객들이라오. 평소 우리가 놀고먹는 건 바로 그렇게 우리가 필요할 때를 위함이라오."

천호대군이 고개를 끄덕였다.

"역시 가주의 혜안(慧眼)이구려."

칠절우사의 눈빛이 살짝 가늘어졌다.

중년 도사가 대문 안으로 걸어 들어가자, 사람들은 대화를 멈추고 추이를 지켜보았다.

잠시 후, 대문 안쪽에서 중년 도사가 외치는 목소리가 들려왔다.

"이제 들어오셔도 됩니다!"

"끝난 모양이구려."

칠절우사가 가장 먼저 몸을 날렸다. 그 뒤로 천호대군과 진강, 그리고 수십 명의 고수들이 줄지어 안가로 들어섰다.

안가는 고즈넉하고 인기척이 없었다.

"모두 조심하게. 놈들이 어디에 숨어 있을지 모르니까."

천호대군은 수색 지시를 내리면서 그렇게 당부했다. 명령을 받은 고수들은 곧 서너 명씩 짝을 지어서 안가 곳곳을 수색하기 시작했다.

"아무도 없습니다!"

"방에도 없습니다!"

"주방에도 없습니다!"

계속해서 똑같은 보고가 쏟아지던 순간이었다.

"이곳에 지하로 향하는 입구가 있습니다!"

복도 안쪽에서 들뜬 목소리가 들려왔다.

객청 입구에 대기하고 있던 천호대군과 칠절우사, 진강은 곧장 안가로 뛰어 들어갔다. 객청을 지나 복도 안쪽으로 달려간 그들의 눈에, 지하로 향하는 문이 열려 있는 게 보였다.

"누가 열었느냐?"

천호대군의 질문에 수하들이 고개를 저으며 대답했다.

"미리 열려 있었습니다."

"흠."

문이 열린 상태로 있다는 건 두 가지를 의미했다.

문을 닫지 못할 정도로 급박한 일이 생겼거나 혹은 문

을 닫지 않아도 될 정도로 모든 상황이 종료되었다거나.

"들어가 봅시다."

천호대군이 잠시 상념에 젖어 있는 동안 칠절우사가 그리 말하며 성큼성큼 지하로 걸어 들어갔다. 진강이 그 뒤를 따랐다. 천호대군은 그들을 만류하려다가 이내 생각을 바꾸고는 역시 그 뒤를 따라 지하로 내려갔다.

지하는 복도로 이어져 있었고, 복도 끝자락에는 석문이 열려 있었다. 그 석문 안쪽에서 피비린내와 고약한 냄새가 함께 흘러나오고 있었다.

"조심하시오."

천호대군은 선두에 선 칠절우사를 향해 당부했다. 칠절우사는 한 차례 어깨를 으쓱거리고는 단번에 석문 앞으로 이동했다.

석문 안쪽을 확인한 칠절우사의 얼굴이 이내 일그러졌다.

"왕윤? 그대가 어찌 이곳에?"

칠절우사의 중얼거림을 들은 진강과 천호대군이 빠르게 달려와 석실 안을 살펴보았다.

석실에는 두 구의 시신이 있었다. 아마도 여인인 것 같은 한 구의 시신과 발이 잘린 노인의 시신이었다.

천호대군은 눈쌀을 찌푸리며 석실 안으로 들어가 여인의 얼굴을 확인했다.

"교룡회의 구미호이외다. 허어! 참으로 악랄한 놈들이로군. 혀를 자르는 고문까지 하고서 이렇게 처참하게 죽이다니."

"이 노인은 천수불타 왕윤이라는 인물이오. 우리 숙객 중 한 명이지. 늘 인자하고 부드러운 성격이라 뭇 숙객들의 존경을 받던 사람이오. 그런데 왜 이곳에서 이런 모습으로?"

칠절우사도 석실 안으로 들어서며 말했다.

진강은 말없이 그 뒤를 따라 석실로 들어선 뒤 바닥의 흔적을 살피기 시작했다.

"한 명 더 있었습니다."

진강의 말에 칠절우사와 천호대군이 돌아보았다. 진강은 바닥을 가리키며 말했다.

"누군가 쓰러진 위에 구미호가 피를 뿌린 것처럼 이곳에만 핏자국이 없습니다."

칠절우사와 천호대군은 눈을 크게 뜨고 내려다보았다.

아닌 게 아니라 확실히 진강이 가리키고 있는 지면에는 핏물이 묻어 있지 않았다. 어두운 석실 안, 사방이 오물과 핏물로 더럽혀진 가운데 세세하게 살피지 않으면 알아볼 수 없는 흔적이었다.

칠절우사가 고개를 끄덕이며 중얼거렸다.

"그렇다면 그 다섯 명 중 누군가 쓰러진 걸 또 다른 누군가가 데리고 나갔다는 겐가?"

천호대군의 눈이 빛났다.

'보아하니 구미호를 살해하던 도중에 왕윤이라는 자에게 암습을 당한 모양이로구나. 십팔숙객도 아닌 왕윤에게 암습을 당할 정도라면…….'

다섯 명 모두 무정검왕과 같은 절대 고수는 아닌 모양이었다.

'그렇다면 굳이 겁을 내고 두려워할 이유가 없지.'

천호대군은 뒤따라온 자들에게 빠르게 지시를 내렸다.

"놈들 중 죽거나 최소한 엄중한 부상을 입은 자가 있다. 그를 데리고는 그리 멀리 도망가지 못했을 것이다. 인근 주변을 샅샅이 뒤지고, 그 범위를 점차 확대하라! 아울러 포위망을 넓혀서 놈들이 절대 이 남천로 일대를 빠져나가지 못하도록 하고."

"존명!"

지시를 받은 자들이 우르르 몰려 나갔다.

"허어."

칠절우사가 한숨을 쉬며 입을 열었다.

"포위망을 좁힌 게 악수가 되지 않을까 싶구려."

천호대군이 그를 돌아보았다. 칠절우사는 눈을 가늘게 뜨며 말을 이었다.

"넓게 형성되어 있던 포위망을 좁히는 동안 놈들을 발

견하지 못했다는 뜻이오. 다시 말해서 이미 놈들은 지금 우리의 포위망 저 밖으로 도망쳤을 가능성이 크다는 의미인 게고…… 또다시 바꿔 말하자면 이번 포위망의 총책임자인 대군께서 무한한 책임을 지셔야 할 수밖에 없다는 말이오."

일순 천호대군의 얼굴이 일그러졌다.

### 3. 아직도 악양부

"이런 젠장."

강만리는 한숨을 내쉬었다.

있는 꾀 없는 궁리를 다 끌어모아다가 겨우 악양부를 빠져나왔는데 다시 돌아가야 한다는 게다. 한숨이 나오지 않을 수가 없었다.

하지만 한두 푼도 아니고 무려 수백만 냥의 은자를 외면할 수는 없었다. 태극천맹이나 황계는 차치하더라도 오대가문과 싸우기 위해서는 어떻게든 자금을 끌어모아야 했다.

애당초 이들이 악양부로 온 것 역시 바로 그러한 이유 때문이지 않은가.

'그런데 아무 소득 없이 이대로 물러난다는 건…….'

강만리는 결국 악양부로 되돌아가기로 결심했다.

—오랫동안 고민하라. 한번 결정했으면 신속하게 움직여라.

평소 신조가 그런 만큼 한번 결심을 한 강만리는 빠르게 대책을 강구하고 계획을 세웠다.

"한 가족으로 변장합시다."

강만리는 사람들을 향해 그렇게 말했다.

"마침 우리에게는 할아버지도 있고 부부도 있고 자식도 있습니다. 거기에 일 잘하는 하인 한 명 더 있다고 해서 큰 문제는 없을 겁니다."

강만리는 '일 잘하는 하인'이라고 말할 때 자신을 가리켰다. 나찰염요가 고개를 저었다.

"아니, 도련님이 제 남편이 되어야 해요."

"네?"

"남편이 손을 다쳐서 악양부의 좋은 의생을 찾으러 왔다는 게 훨씬 타당할 테니까요."

"하지만 담 형님도……."

"아니, 나는 외관상 멀쩡하잖나? 물론 이제 거의 회복한 상태이기도 하고."

"그래요. 겉으로 크게 다친 모습을 봐야 포졸이나 포쾌

들도 수긍할 테니까요."

"끄응."

강만리는 머리를 긁적였다.

내키지는 않지만 확실히 반박하기 어려울 정도로 일리가 있는 말이었다.

"그럼 이제 강 숙부가 아빠가 되는 건가요?"

담호가 눈을 반짝이며 말했다.

"아빠."

강만리의 얼굴이 일그러졌다.

강만리 일행은 숲을 빠져나와 근처 마을을 찾았다. 마침 모두 밭일을 나가서 텅 빈 농가가 있었고, 그 농가에서 변장할 옷들을 챙기고 수레까지 가지고 나왔다.

"훔치는 건 아니오."

강만리는 은원보 하나를 방 안에 던져 놓고는 농가를 빠져나왔다.

"누우세요."

나찰염요가 수레를 가리키며 강만리를 향해 말했다. 강만리는 난색을 취했다.

"겨우 손을 다친 걸 가지고……."

"무림인에게는 겨우 손을 다친 것뿐이지만, 농사 짓는 이들에게는 진짜 큰 부상이거든요."

"으음."

강만리는 수레에 오르며 속으로 투덜거렸다.

'아무래도 나는 평생 여인네들에게 휘둘릴 팔자인가 보다. 십삼매도 그렇고 예예도 그렇고 형수도 그렇고…….'

수레는 담우천이 끌었다. 강만리가 펄쩍 뛰었지만 담우천은 담담하게 말했다.

"수레 정도는 충분히 끌 수 있네. 날 너무 병자 취급하지 말게나."

"당신도 이제 존댓말을 쓰세요. 저도 당신에게 말을 놓을 테니까."

나찰염요가 나긋나긋하게 말하자 담우천은 고개를 끄덕이며 대답했다.

"네, 주인마님."

강만리가 속으로 중얼거렸다.

'어쩌면 여인네들에게 휘둘리는 건 사내들의 숙명(宿命)일지도…….'

악양부 북문을 통과하려는 사람들의 줄은 한없이 길었다. 북문을 지키는 포두와 포졸들이 평소보다 몇 배는 철저하게 검문검색을 하고 있었기 때문이었다.

이윽고 강만리 일행의 차례가 되었다.

"남편이 쇠갈퀴에 손을 찔렸거든요. 용한 의생이 있다

고 해서 찾아가는 길이에요."

나찰염요는 한때 극단에 있었던 게 아닐까 싶을 정도로 연기가 뛰어났다. 눈물까지 글썽거리면서 애절하게, 그러는 한편 쇠갈퀴 따위에 손이 찔린 남편이 답답하다는 듯한 표정으로 말하니 속아 넘어가지 않을 이가 없었다.

그러나 포두는 생각보다 깐깐했다.

"어디 한번 보여 주게."

포두는 강만리의 곁으로 다가와 붕대를 풀라고 말했다. 강만리는 일부러 끙끙 앓으면서 붕대를 풀었다. 검붉은 피가 묻어 있고 새파랗게 멍이 든 손바닥 가운데에는 구멍이 뻥 뚫려 있었다.

"이런."

곁에서 호기심 어린 눈빛으로 바라보던 포졸들이 못 볼 걸 봤다는 듯이 질색하며 뒤로 물러났다.

"어쩌다가 이리되었소?"

포두도 눈을 가늘게 뜨며 물었다. 강만리가 한숨을 쉬며 말했다.

"저 녀석과 장난치다 이리되었습니다. 진짜로 쇠갈퀴를 휘두를지 누가 알았겠습니까? 아무리 천방지축 장난꾸러기라도 지 애비에게 함부로 쇠갈퀴를 휘두르다니 말이죠."

포두의 시선이 강만리의 손길을 따라 움직였다. 손길 끝에는 담호가 서 있었는데, 사람들의 주목을 받자 담호는 겁에 질린 표정을 지으면서도 억울하다는 듯이 말했다.

"하지만 아빠가 진짜로 싸우는 것처럼 하라고 했잖아요? 내 잘못은 하나도 없다고요."

"허어."

포두는 혀를 찼다. 그러고는 딱하다는 표정을 지으며 강만리에게 말했다.

"나도 저만한 아들 녀석이 있어서 잘 아오. 얼마나 말을 듣지 않고 속을 썩이는지 원."

"그래서 다들 딸, 딸 하나 봅니다. 이럴 줄 알았으면 딸을 낳을 걸 잘못했나 봅니다."

"뭐, 천선낭랑(天仙娘娘)도 아니고 어찌 우리가 아들딸 가려서 낳을 수 있겠소?"

천선낭랑은 자식을 점지해 주는 여신(女神)이었다.

강만리는 고개를 끄덕이며 말했다.

"하기야 그래도 결국에는 아들입죠. 아무리 사고뭉치라 하더라도 아들이 있어야 든든하니까요."

"허허. 그건 그렇소. 뭣보다 내 대(代)를 이어 주니 말이오."

한 번의 웃음으로 대화는 술술 풀렸고 분위기는 화기애애해졌다. 말썽꾸러기 아들을 가진 아버지끼리의 교감 덕분이라고나 할까. 제법 깐깐하던 포두였지만 그렇게 대화를 나눈 후에는 더없이 친절한 모습으로 바뀌었다.

"북천로 상현가(上縣街)에 아주 용한 의생이 있소. 천의가(天醫家)라고 하면 다들 알 것이오."

포두는 그렇게 의생까지 소개해 주고는 간단하게 그들 가족을 통과시켜 주었다.

"다행이군. 마침 저치에게 아호 같은 말썽꾸러기 아들이 있어서."

다시 악양부로 들어선 유 노대는 미소를 띠며 그렇게 말했다. 담호가 불만이라는 듯이 입을 내밀었다.

"그건 어디까지나 연기한 거잖아요."

"알지, 잘 알지. 너처럼 착하고 말 잘 듣는 아이가 또 어디 있겠느냐?"

"말을 잘 듣는 아이라면 애당초 악양부로 오지 말았어야지요."

담호는 유 노대의 말에 싱글벙글 웃다가 이어지는 나찰염요의 매서운 목소리에 어깨를 움츠렸다. 나찰염요의 서늘한 목소리가 이어졌다.

"한 번 더 어른들의 말을 듣지 않고 제멋대로 행동하면 그때는 진짜 혼날 줄 알아."

"네, 큰엄마."

그렇게 담호가 의기소침하게 대꾸할 때였다.

“저기요.”

맑고 고운 여인의 목소리가 그들의 뒤를 잡았다.

“혹시 강 대협 아니세요? 왜, 성도부의 그 유명한 포두이셨던…….”

일순 사람들은 움찔거리며 반사적으로 내공을 끌어올렸다. 강만리는 여차하면 한 주먹에 해치울 요량으로 주먹을 불끈 쥐며 뒤돌아보았다.

묘령의, 눈이 번쩍 뜨일 정도로 아름다운 미녀가 웃으며 그를 바라보고 있었다.

‘어라? 어디에서 많이 본…….’

강만리는 기억을 더듬다가 이내 눈살을 찌푸리며 말했다.

“뭐하는 거야, 벽린?”

“네에? 설 숙부요?”

담호가 깜짝 놀라며 묻자 여인, 아니 여인으로 변장한 설벽린이 배시시 웃으며 말했다.

“어때? 전혀 몰라보겠지?”

“네, 전혀요. 와, 어쩜 목소리까지 그렇게 바꿀 수 있어요?”

“흠. 네가 큰절을 하면 가르쳐 주지.”

“지금요?”

“너무 놀리지 마세요, 설 도련님.”

나찰염요가 웃으며 소곤거렸다.

"놀리는 게 아니라 진짜로……."

설벽린도 생글생글 웃으며 말하다가 문득 나찰염요의 눈빛 깊은 곳에 담겨 있는 예기에 움찔거리며 황급히 입을 다물었다.

유 노대가 껄껄 웃으며 말했다.

"정말 나는 알아차리지 못했네. 웬 이렇게 아름다운 여인이 강 장주를 다 알고 있을까? 알고 보니 강 장주, 예전에는 천하의 난봉꾼이었나 하는 생각까지 들었으니까."

"아휴, 무슨 말씀을 그리하십니까?"

눈살을 찌푸리며 항변하던 강만리는 문득 어깨를 으쓱거리며 말을 이었다.

"하기야 저도 태원에서 저 녀석의 여인 분장을 보지 못했더라면 감쪽같이 속을 뻔했으니까요."

"하하, 아직 쓸 만하죠?"

설벽린이 자랑스레 웃자 강만리는 재차 눈살을 찌푸리며 물었다.

"만해 사부는?"

"아, 형님들이 은신할 거처를 알아보려고 가셨어요. 그조 영감의 경매 때문에 돌아오신 거잖아요?"

'역시 눈치 하나는 저 변장 솜씨만큼 뛰어난 녀석이라니까.'

강만리는 속으로 그렇게 중얼거리며 입을 열었다.

"혹시 군악과 예추 소식은?"

"음? 함께 있는 것 아니었어요?"

설벽린이 놀란 듯 주위를 두리번거렸다.

이때 길가의 행인들 대부분 걸음을 멈춰 선 채 홀린 듯 한 얼굴로 설벽린의 미모를 감상하고 있었다.

강만리가 투덜거렸다.

"네 녀석 때문에라도 들키겠다. 이야기는 나중에 하기로 하고 서둘러 자리를 피하자."

"그래요."

강만리 일행은 주위에 몰려든 인파를 뚫고 다시 움직이기 시작했다.

어느덧 날이 뉘엿뉘엿 저물고 있었다.

(무림오적 38권에서 계속)